흔들리는 불빛

혼들리는 불빛

발 행 | 2024년 02월 21일
저 자 | 박희선
펴낸이 | 한건희
펴낸곳 | 주식회사 부크크
출판사등록 | 2014.07.15.(제2014-16호)
주 소 | 서울특별시 금천구 가산디지털1로 119 SK트윈타워 A동 305호
전 화 | 1670-8316
이메일 | info@bookk.co.kr

ISBN | 979-11-410-7322-0

www.bookk.co.kr

흔들리는 불빛

박희선 소설집

분을 쉽게 내는 자는 다툼을 일으켜도
노하기를 더디 하는 자는 시비를 그치게 하느니라
- 잠언 15장 18절 -

작가의 말

이 책은 나의 첫 소설집 『별빛소리』(1994., 엘맨출판사)의 수정본이라 할 수 있다. 『별빛소리』에 수록된 9편을 고쳐 쓰고 거기에 3편을 더한 12편의 단편소설로 책을 엮었다.

출판사에서 보내준 첫 소설집을 받았을 때 가슴이 두근거리던 기억이 아직도 또렷하다. 그런데 얼마 후 다시 읽어본 내 소설은 나를 당황하게 했다. 부끄러웠고, 나는 한계를 느꼈다. 잘못된 문장도 많고 어색한 표현도 많은 엉성한 글을 왜 그리 서둘러 출판하고자 욕심을 부렸을까. 하루라도 빨리 고쳐 써서 나를 아끼는 독자들에게 용서를 빌고 싶었다. 그러나 글을 고쳐 쓰는 일은 차일피일 미루다가 많이 늦어졌다. 여러 가지 구차한 변명을 여기에 적지 않겠다. 아무튼 내가 세상에 내보낸 작품이기에 잘못된 것을 제대로 수습해야겠다는 생각은 내내 가지고 있었다는 점을 고백한다.

나는 월간 《문학공간》(1993년 7월호)에 단편소설 '흔들리는 불빛'으로 추천을 받으면서 그 소감을 이렇게 썼었다.

<밥을 먹으면 소화가 되지 않아 더부룩한 것처럼 늘 찜찜한 마음으로 살았다. 누가 강요한 것도 아닌데 소설을 써야 한다는 마음으로 빚진 사람처럼 살았다. 그러나 능력이 부족했으므로…….>

아직도 찜찜하기는 마찬가지다. 좋은 글을 쓰고자 하는 욕심은 마음에 가득하지만, 능력이 욕심에 미치지 못해서 그렇다. 앞으로 분발하고자 한다. 욕심만 가득한 어리석음을 버리고 분발해서 보다 나은 글을 쓰고자 한다. 그래서 내 글을 읽는 독자들에게 그동안의 미숙함을 용서받고자 한다. 계속 지켜봐 주시고 많은 비판과 격려를 바란다.

2024년 봄, 간석동의 서재에서 박희선 쓰다

차 례

흔들리는 불빛

썰렁한 바람이 골목을 쓸며 지나간다. 까만 비닐봉지와 휴지 쪼가리들이 을씨년스럽게 굴러다닌다. 창수는 소매 끝으로 코를 쓱 문지르고는 굴뚝 모퉁이를 돌아 동네 공터로 걸음을 옮겼다. 손바닥보다도 좁은 공터에는 고만고만한 아이들이 날마다 북적인다.

말뚝박기 말고는 특별히 재미있는 놀이도 없으면서 아이들은 언제나 이 공터에 모여들었다. 작년 여름 명숙이네가 이사를 간 뒤에 다른 사람이 들지 않아서 휑뎅그렁하게 된 집을 동네 어른들이 허물었는데, 그때 생긴 공터가 아이들의 훌륭한 놀이공간이 되어 주었다. 아파트 동네에서 볼 수 있는 미끄럼틀이나 뺑뺑이가 없어도 아이들에게는 그럴듯한 놀이터였다. 학교에서 돌아오면 누가 불러내지 않아도 책가방을 아무렇게나 팽개치고 곧바로 이곳으로 모였다.

창수는 다시 소매 끝으로 코를 문지른다. 감기가 들었는지 엊저녁부터 콧물이 졸졸 흘렀다. 아침에 집을 나서면서 감기가 들었나보다는 말을 하려고 엄마의 눈치를 보다가 그만두었다, 그러게 누가 그렇게 싸돌아 댕기랬냐, 집구석에 틀어백혀 있지 않구. 엄마에게서 들을 말은 뻔했다. 감기가 들었다고 해서 놀랄 엄마가 아니었다.

"니네 엄마, 아까 니아까 끌고 나가드라."

명재가 다가오며 말을 건넸다.

"알아."

"만났어?"

"아니."

창수는 고개를 가로저었다. 그렇지만 알았다. 엄마가 나가는 것을 직접 보지는 못했지만, 담벼락에 세워두었던 리어카가 없어졌으니 당연히 엄마가 장사하러 나간 줄로 생각했다.

엄마는 시장 입구에서 포장마차를 했다. 요즘 들어 구청 직원들의 단속이 심해져서 며칠은 장사를 나가지 않고 쉬었는데, 엄마는 아버지의 앓는 소리를 견디지 못해 리어카를 끌고 나간 모양이었다. 아버지가 앓는 소리를 낼 때마다 엄마는 몸서리를 쳤다. 에그, 저 웬수 같은 소리만 안 들어두 얼마나 좋을까 모르겄다. 저 소리 듣기 싫어서래두 얼릉 장사를 나가야 헐텐디. 그럴 때면 아버지는 끄응 하고 앓는 소리를 내며 힘들게 벽을 향해 돌아눕곤 했는데, 엄마는 그 말대로 원수 같은 소리가 듣기 싫어서 장사를 나간 것이 분명했다.

창수는 아까 집을 나설 때 들었던 아버지의 앓는 소리를 생각했다. 입술을 깨무는 고통스러운 소리였다. 아버지가 허리를 다친 것은 창수가 국민학교에 입학하던 해였다. 남의 집 고깃배를 타는 어부였던 아버지는 폭우를 동반한 태풍이 무섭게 몰아치는 어느 저녁에 닻줄에 감겨 넘어지면서 허리를 크게 다쳤다. 다시는 고깃배를 탈 수 없게 된 아버지는 도둑질이라도 하려면 도회지로 나가야 한다며 엄마에게 이삿짐을 꾸리도록 했다. 그러나 막상 이사를 왔지만 아버지는 도둑질도 못하는 신세가 되고 말았다. 포장마차를 끌고 나가다가 언덕길에서 삐끗하며 미끄러져서 웬만하던 허리 병이 도졌던 것이다. 그때부터 아버지는 방안에만 누워 지낸다.

"우리도 말뚝박기하자."

명재가 말뚝박기하는 아이들을 가리키며 말했다.

"싫어."

"왜?"

"그냥."

왜 그런지 창수는 아이들 틈에 끼어 말뚝박기를 하고 싶지 않았다. 그래서 허리를 구부정하게 꺾고 명재네 집 창문 아래로 가서 흙바닥에 털퍼덕 주저앉았다.

"내년부터 아파트를 짓는다는 게 정말일까?"

명재가 창수 곁으로 엉덩이를 들이대며 물었다. 창수보다 한 학년 아래인 명재는 언제나 말을 곰살궂게 했다.

"몰라."

"우리 엄마가 그러더라. 내년 봄이 되면 공사가 시작된대. 아니, 어쩌면 이번 겨울부터 시작할지도 모른댔어."

"우리 엄마도 그랬어."

창수도 내년 봄에 아파트 공사를 시작하게 됐다는 말을 들었다. 그렇게 되면 다른 곳으로 이사를 가야 할 텐데 걱정이라며 엄마는 한숨을 내쉬었다.

"빨리 아파트를 지었으면 좋겠다, 히히."

명재가 웃었다.

"뭐가 그렇게 좋으냐, 넌?"

"우리도 아파트에 살게 되잖아."

"아파트에?"

"그렇지 않아? 우리 동네에 아파트가 생기니깐 우리도 아파트에서 사는 거 아냐?"

"아파트에서 사는 게 좋냐?"

"좋지 않구. 저기처럼 높은 아파트에서 아래를 내려다보구 살면 무지무지하게 좋을 거야."

명재는 해가 기울어 가는 쪽에 하늘을 가리며 높게 솟은 아파트 건물들을 바라보며 계속 싱글거렸다. 저렇게 높은 아파트가 빽빽하게 숲처럼 몰려 있는 동네를 어른들은 아파트 단지라고 했다.

그 아파트 단지가 작년 봄에 창수네 동네 옆으로는 들어섰다. 그리고 아파트 단지가 들어서자마자 이 동네의 집들도 모두 허물고 아파트를 지어야 한다는 말이 금방 퍼졌다. 지저분한 판잣집 동네가 곁에 있으면 아파트 단지의 경관을 해치는 것은 물론 집값이 올라가지 않는다는 이유에서였다. 더구나 올봄에 아파트 단지 앞으로 6차선의 넓은 도로가 뻥 뚫리고 자동차들이 씽씽 내달리면서부터 동네는 더욱 초라하게 보였다. 아파트 단지에 사는 사람들뿐만 아니라 지나가는 사람들도 자기들과는 아무런 연관이 없으면서도 판잣집이 다닥다닥 붙어있는 이 동네가 빨리 없어져야 하겠다고 입을 모았다.

그렇지만 이 동네 어른들은 아파트 단지가 들어서는 것을 반대했다. 그것도 아주 적극적으로 반대했다. 어른들은 동네 입구에 빨간색 페인트로 아파트 건축을 결사반대한다고 커다랗게 써서 여러 개 매달아 놓았다. 아이들이 고개를 갸우뚱하며 결사반대가 무슨 뜻이냐고 물었을 때 어느 어른이 말하기를 죽을 때까지 반대하는 거라고 했다.

창수는 어른들의 그런 태도가 의아했다. 어째서 아파트 짓는 게 죽을 때까지 반대할 일인가. 우중충한 판잣집을 헐어내고 산뜻한 색깔의 높은 아파트가 세워지면 얼마나 좋은가. 방바닥에 쪼그려 앉아서 먹던 밥을 식탁에 둘러앉아 먹을 수도 있고, 베개에 턱을 괴고 하던 숙제를 책상에 앉아 편하게 할 수 있지 않은가. 침대를 들여놓으면 아침마다 이불을 개지 않는다고 야단맞을 일도 없을 거다. 그리고 무엇보다 학교에서 아파트 동네 애들과 따로따로 놀지 않고 함께 어울려 놀게 될 테니 좋지 않은가.

그런데도 엄마는 한숨만 내쉬고 있었다. 어뜨케 된 시상이 없는 눔만 죽어라 죽어라 허는지 몰르겄다. 없는 눔덜은 하루 벌어 하루 묵을라고 줄창 헐떡거리는데, 아, 무슨 눔의 아파트를 짓는다는겨. 시상이 좋아졌으믄 없는 눔덜 생각도 해줘야 헐 거 아녀. 그때 곁에 있던 창수가 말참견을 했다. 엄마, 아파트에 살면 좋잖아. 그러자 엄마는 한심하다는 투로 눈을 흘겼다. 이 싸가지 없는 새꺄, 누가 아파트에서 살믄 좋은 거 모르냐. 돈이 있어야 하는겨. 돈이 있어야 아파트두 사구 뭣두 살 거 아녀. 엄마의 얘기를 잘 알아듣지는 못했지만 창수는 입을 다물고 말았다. 우리 동네에다 아파트를 짓는데 왜 돈이 있어야 되는지 그 이유를 몰랐지만 묻지는 않았다. 엄마의 입에서 돈 얘기만 나오면 말참견을 하지 않는 게 상책이었다. 엄마는 언제나 돈에 대하여 저주를 퍼부으며 살았으니까.

저만큼 동네 어귀에서 뒷짐을 지고 터덜터덜 걸어오는 순미 아버지가 보였다. 통장 일을 맡아보는 순미 아버지는 술을 좋아해서 대낮에도 얼굴이 벌겋게 되곤 했는데, 오늘은 말짱한 얼굴로 아이들이 놀고 있는 공터를 향해 다가오고 있다.

명재가 창수의 옆구리를 팔꿈치로 쿡 찔렀다.

“순미 아버지한테 물어보면 되겠다, 히히.”

“뭘?”

너는 짜식아, 허파에 바람이라도 들어갔냐. 창수는 실없이 히히거리는 명재에게 한 마디쯤 쏘아붙이려다가 참았다. 그

정도 통바리를 맞았다고 부끄러워할 놈이 아니다.

"언제쯤 아파트를 짓느냐고 말이야."

"관둬, 어른들이 알아서 할 텐데."

순미 아버지는 창수가 앉아 있는 곳으로 곧장 오더니 걸음을 멈추고 동네를 한 바퀴 빙 둘러보았다. 왠지 힘이 하나도 없어 보였다.

"아저씨, 아파트는 언제부터 짓나요?"

기어이 명재가 참지 못하고 입을 열었다. 순미 아버지는 명재가 묻는 말을 알아듣지 못했는지 물끄러미 하늘만 올려다보고 있었다. 그러더니 한참 만에 빙긋이 웃음을 지어 보이고는,

"니네들, 아버지한테 가서 이따가 저녁 잡숫고 우리 집으로 오시라고 해라."

하는 말을 남겨 놓고 모퉁이를 돌아가 버렸다.

"왜 그럴까? 혹시 아파트……."

창수는 궁금해하는 명재의 말을 끝까지 듣지 않고 엉덩이를 툭툭 털며 일어났다. 연탄을 갈아 넣었어야 하는 건데 그걸 깜빡 잊고 나온 것이 생각났다. 연탄불이 꺼졌을까 봐 조바심이 났다. 연탄불이 꺼지면 엄마는 마구 욕을 해댔다. 이 빙신 같은 눔아, 비싼 밥 처묵고 연탄불두 하나 간수하지 못

하냐. 그런 것두 못하믄서 뭣땜에 삼시 세끼 꼬박꼬박 밥은 처묵냐. 애비가 꼼짝허지 못하믄 새끼라두 벤벤해야지. 그렇게 한숨 섞인 욕을 마구잡이로 퍼부을 때면 엄마의 얼굴은 참으로 보기 싫게 일그러진다.

창수는 화가 잔뜩 난 엄마의 목소리가 들리는 것만 같아서 걸음을 재촉했다. 겨울을 몰고 오는 썰렁한 바람이 등 뒤에서 불어왔다. 콧물을 훌쩍 들이마셨다. 목덜미가 자꾸만 움츠러들었다.

순미네 집 안방에는 동네 어른들이 많이 모였다.

창수는 저녁을 먹자마자 순미네 집으로 달려갔다. 자기 엄마를 따라왔는지 명재가 먼저 와서 히히거리고 있었다. 아버지가 다른 날보다 몸이 더 아파서 대신 왔다고 말했더니 순미 아버지는 아이들이 참견할 일이 아니니까 그만 가도 된다며 창수를 내몰았다. 무슨 일인지 가뜩이나 궁금증이 들었던 창수는 마루 귀퉁이에 앉아서라도 어른들의 얘기를 들어보려고 명재 곁으로 눌러앉았다.

"아니 그럼, 이제 곧 겨울이 닥쳐올 텐데 우리더러 당장 집을 비우라는 건가요?"

갑자기 성식이네 아버지의 높은 목소리가 들렸다. 창수는 자기도 모르게 명재 쪽으로 고개를 돌렸다. 명재도 고개를 돌려 창수를 마주 바라보며 눈을 동그랗게 떴다. 뭔가 심상찮은 분위기가 감돌았다.

“글쎄, 구청에서도 그 점에 대해서는 딱하게 생각한다고 얘기합디다. 그렇지만 자기들로서는 어쩔 수 없다는 거예요. 벌써 저 위에서 허가가 나왔으니까요.”

순미 아버지의 목소리는 성식이네 아버지와 달리 차분했다.

“그리고…….”

순미 아버지가 무슨 얘기인가를 더 하려고 하는데 정순네 엄마가 카랑카랑하게 말꼬리를 물고 늘어졌다.

“저 우에 있는 놈은 어떤 시러베아들눔이간디? 아, 어뜩케 없는 눔덜 생각은 쬐깐도 않고 허가를 덜컥 내줬다는겨? 그것이 시방 말이 되는겨? 난 죽어두 못 나갈 것이구만.”

“그러니까 그냥 집을 비우라는 것이 아니라 아파트 입주권을 준다는 거 아닙니까? 또 아파트가 완공될 때까지 이사할 비용도 준다고 했어요.”

순미 아버지는 계속 차분하게 말했다. 그때 또 성식이네 아버지가 나섰다. 아까보다는 좀 누그러진 말투였다.

“그게 말이 좋아 입주권이지 우리 같은 사람들에게는 그림의 떡이란 말입니다. 입주권이라는 게 글자 그대로 아파트에 들어갈 수 있는 권리다, 이거 아닙니까? 그렇지만 하루 벌어 하루 먹기도 빠듯한 우리들이 어떻게 그 비싼 입주금을 내며, 설사 입주를 했다손 치더라도 매달 꼬박꼬박 물어야 되는 관리비는 어떻게 감당합니까? 그 알량한 사탕발림에 속아서 길거리에 나앉은 사람들이 한둘이 아니라는 건 다 아시잖아요."

"그 말씀은 성식이 아버지가 맞게 하셨구먼유. 저 아래 살던 지 동상네가 바로 그 꼴이 되지 않았겄슈. 노동판에 댕기는 사람들이 무신 수로 뭉텡이 돈을 맨들 것이유? 할 수 없이 입주권을 팔구 사글세방을 얻어 나갔구먼유."

방 귀퉁이에 앉아 있던 순구 엄마가 다른 사람들의 눈치를 보며 느릿느릿하게 말했다.

맞는 말이었다. 바로 아래 동네에 아파트가 들어설 때 판자촌 사람들은 입주권을 받아 들기는 했지만, 막상 입주를 할 때가 되어서는 목돈을 마련하지 못해 쩔쩔매다가 마침내 그들의 당연한 권리를 헐값에 팔아넘겨야만 했다. 판잣집을 헐어내고 번듯한 아파트에서 두 다리 쭉 뻗고 살 수 있겠다던 부푼 꿈은 그만 산산조각으로 부서지고 말았다. 그들에게는 서너 번으로 나누어 물어야 하는 목돈을 마련할 능력이 없었던 것이다.

"워째 안 그렇겄냐? 백 번이래두 옳은 말씀이지. 우리 동네라구 뭐 뾰죽한 수가 있간디? 이러다간 동네 사람들 모다 바가지 차고 쫓겨날 판이여."

정순네 엄마는 아까보다 더 카랑카랑하게 떠들었다.

"그렇지만 어떡합니까? 이게 다 돈 없구 집 없는 설움이지요."

한참 동안의 침묵이 흐른 뒤에 명재 엄마가 한숨을 내쉬며 말했는데, 말꼬리를 흐리는 그 목소리에는 힘이 하나도 들어 있지 않았다. 그러자 정순네 엄마가 벌컥 화를 냈다.

"워쩌긴 뭘 워쩐다는겨? 우리가 시방 두 눈깔 멀쩡히 뜨구 집을 뺏길 수 있는가? 무신 수를 써서래두 싸워야 허능겨."

"글쎄 싸운다고 해결될 일이 아니니까 하는 말이지요."

명재 엄마의 말은 아예 목구멍으로 기어들어 갔다.

"왜 해결이 안된다는겨? 죽구살기루 싸우믄 지까짓 눔덜이 어뜩할겨?"

정순네 엄마의 어조는 단호했다. 그러자 여태껏 잠자코 오가는 얘기를 듣고만 있던 사람들까지 술렁거리기 시작했다. 죽구살기루 싸우믄 지까짓 눔덜이 어뜩할겨, 하는 정순네 엄마의 단호한 얘기에 동조하는 분위기가 되었다.

그때 순미 아버지가 웅성거리는 사람들을 제지하며 입을 열었다.

"그만들 진정하십시다. 문제는 우리가 시유지에 살고 있다는 거지요."

"시유지가 워쨌다는겨? 지금까정 멫 십 년 동안을 떡하니 번지수 멕이구 살았으믄 되는 거지."

정순네 엄마가 또 나서자 순미 아버지는 눈살을 찌푸렸다.

"그렇게 흥분하지 마시고 제 얘길 끝까지 들어보세요. 시에서 이 땅을 아파트 업자한테 팔았다 이겁니다. 그러니까 아파트 업자가 자기네 땅이라고 막무가내로 밀어붙이면 입주권을 받기는커녕 보상금도 제대로 못 받고 쫓겨날 수밖에 없잖습니까?"

"이 땅을 누구헌테 팔았다는겨, 시방? 저번 선거 때 시유지를 불하해 주겄다구 큰소리 땅땅 해쌓드니만. 그때 국회의원 하겄다구 나온 사람들마다 그랬잖여? 땅두 불하해 주구 무허가 판잣집두 양성화시켜 줄 것잉께 자기를 찍어달라구."

"정순이 엄마는 그 말을 곧이들었나 봐유? 그땐 지들이 급하니께 벨벨 소리를 다 지껄였지만, 어디 똥 싸러 갈 때 맘허구 똥 싼 담에 맘허구 같을 수가 있남유?"

느려터진 순구 엄마의 말에 방 안에서는 갑자기 웃음이 터져 나왔다. 창수도 소리를 죽여 가며 킥킥 웃었다.

정순네 엄마의 말대로 지난번 국회의원 선거 때에는 입후보자 세 사람이 모두 그런 공약을 내걸었다. 우선 시유지로 묶여 있는 이 동네의 땅을 개인에게 불하해 주고, 또 무허가로 지은 판잣집을 양성화시켜 주겠다고 저마다 떠들어댔다. 사람은 누구나 정정당당하게 살아갈 권리가 있으며, 따라서 정당한 방법으로 성실하게 살아가는 이 동네 사람들이야말로 가장 모범적인 국민이 아니겠느냐고 추켜세우기도 했다.

후보자들은 목청을 돋우어 소리쳤다. 그런데 왜 여러분은 살림살이가 나아지지 않습니까. 매일 같이 힘들게 땀 흘리며 일하는데도 왜 연탄 걱정, 집 걱정, 아이들의 학비 걱정에서 헤어나지 못하는 겁니까. 바로 돈 내고 돈 먹기라는 식의 도박꾼 같은 생각이 판을 치고 있기 때문입니다. 제가 국회에 나간다면 여러분의 성실한 심부름꾼이 되어 이러한 잘못된 사회 분위기를 바로잡는 데 앞장서겠습니다. 너절한 공약이 많으면 뭐 합니까. 저는 자신 있게 지킬 수 있는 공약 딱 한 가지만 내걸겠습니다. 그게 뭔가 하면, 바로 여러분들이 집 걱정에서 벗어나도록 이 땅을 개인에게 불하해 주겠다는 약속입니다.

그런 국회의원 입후보자들의 얘기를 들으며 동네 사람들은 반신반의하면서도 이번에는 공염불이 아닐지도 모른다고 생각하게 되었다. 입후보 한 세 사람이 모두 똑같은 공약을 내걸었으므로, 누가 당선되든지 시유지를 불하받도록 힘써 줄 테고, 그렇게만 되면 떳떳한 내 집에서 살 수 있을 것이라는 기대를 은근히 품기도 했다.

그러나 국회의원 선거 끝난 지가 한참이나 지났건만 아직도 이 동네는 시유지로 묶여 있었다. 허리를 굽실거리며 소중한 한 표를 부탁하던 땅딸막한 국회의원의 얼굴은 텔레비전에서나 가끔 볼 수 있었다. 그런데도 누구 하나 선뜻 나서서 국회의원에게 따지는 사람은 없었다. 왜 공약을 지키지 않느냐고 따지기는커녕, 동네 어른들은 입후보자들이 목청을 돋우며 떠들어대던 그 공약을 까마득하게 잊고 있었다. 그만큼 하루하루 살아가기가 고달프고 힘든 살림살이들이었다.

바로 그때 창수는 엄마의 역정스러운 목소리에 깜짝 놀라 뒤를 돌아보았다. 저절로 몸이 움츠러들었다.

“이 싸가지 없는 새꺄, 집구석에 틀어백혀 있을 것이지 니까짓 눔이 뭘 안다구 으른덜 말씸허시는디 기웃거리고 자빠졌는겨?”

장사를 끝낸 엄마는 집에도 들어가지 않고 곧바로 왔는지 앞치마를 두른 채였다. 창수는 엄마의 눈길을 피하며 얼른 자리를 박차고 일어났다. 괜히 어물쩍거리다가는 뒤통수라도 한 대 얻어맞기 십상이니까.

학교에서 돌아왔을 때 담벼락에 리어카는 세워져 있는데 엄마는 보이지 않았다. 엊저녁 끝까지 남아 있었던 명재를 복도에서 만났을 때, 명재는 동네 어른들이 모두 구청으로 몰려가서 아파트 짓는 걸 반대하기로 했다는 말을 들려주었다. 아마 엄마도 거기에 간 것이 분명하다고 생각했다. 창수는 어른들이 왜 그렇게 하는지 몰랐지만 어쨌든 뭔가 심상치 않은 일이 벌어질 거라고 어렴풋이 느꼈다.

아이들은 말뚝박기도 하지 않고 한군데에 모여 앉아 웅성거리고 있었다. 동네 어른들이 왜 구청으로 몰려갔으며, 그리고 거기 가서는 뭘 하고 있을까 하는 얘기들을 중구난방으로 떠들어댔다. 테레비에서 본 것처럼 머리에 수건을 동여매고 데모를 하고 있을 거라는 놈도 있었다. 데모는 하지 않고 구청장을 만나서 사정 얘기를 할 거라는 놈도 있었다. 또 어떤 놈은 전투경찰들이 동네 사람들을 에워싸고 최루탄을 쏘아대는지도 모른다며 울상을 짓기도 했다.

창수는 명재의 옆구리를 쿡 찌르며 따라오라는 시늉을 했다.

"어딜 가는데?"

명재가 따라나서며 의아한 표정을 지었다. 그렇지만 창수는 대꾸도 하지 않고 발걸음만 서둘러 옮겼다. 콧물을 훌쩍거리며 손바닥으로 코끝을 문질렀다. 참으로 지랄 같게 감기는 낫지도 않는다. 그렇다고 기침이라도 콜록콜록 나오고 열이라도 펄펄 나면 아프다는 얘기를 엄마한테 할 수 있을 텐데, 웬 놈의 감기가 콧물만 졸졸 흐르고 머리가 띵할 뿐 겉으로는 전혀 표가 나지 않는다.

창수는 아무래도 직접 구청으로 달려가서 무슨 일이 벌어지고 있는지 확인하고 싶어졌다. 알지도 못하면서 괜히 이러니저러니 떠들어 봐야 아무 소용이 없다고 생각했다. 그래서 아이들 틈에서 히히거리며 말참견을 하고 있는 명재를 슬그머니 불러냈던 것이다. 동네 어른들에 대한 걱정이 아니라 재미난 구경거리가 있을지도 모른다는 호기심 때문이었다.

그 호기심은 장사도 팽개치고 동네 어른들에 섞여 따라나섰을 엄마에게서 기인한 것이었다. 엄마는 동네에서 무슨 일이 벌어지든지 전혀 상관하지 않았다. 아마 전쟁이 일어난다고 해도 포장마차 리어카를 끌고 나갈 엄마였다. 돈을 벌어야 허는겨. 돈을 벌어야 큰소리두 칠 수 있구 동네일두 헐

수 있는겨. 돈만 있어 봐라, 어느 눔이 무시허능가. 엄마의 입에는 늘상 돈이라는 말이 붙어있었다. 동네에서 그 어떤 무서운 일이 벌어지더라도 엄마에게는 관심 밖의 일이었고, 그러는 엄마에 대해서 동네 사람들도 별로 개의치 않았다. 그런 엄마가 오늘은 동네 사람들 틈에 끼었다는 사실은 창수의 호기심을 불러일으키기에 충분했다.

"진짜로 어딜 가는데 그래?"

명재는 창수 곁을 바싹 따르면서도 영문을 몰라 고개를 계속 갸웃거렸다.

"따라오기 싫으면 관둬, 구청에 가는 거니까."

"구청에?"

명재가 놀라는 표정을 지었다.

"그래, 구청에 가서 무슨 일이 있는지 볼라구."

창수가 명재의 어깨를 툭 건드리며 씨익 웃어 주었다. 그제서야 명재도 따라서 히히댔다.

"히히, 이제 알겠다."

그런데 막 큰길가로 나오자마자 지친 모습으로 힘겹게 걸어오고 있는 동네 어른들과 맞닥뜨렸다. 지친 걸음걸이에 화난 얼굴들이었다. 서로 말하기를 피하는 것처럼 보였다. 동네 어른들의 늘어진 어깨 너머로 우중충하게 흐린 하늘이 무겁게 내려앉고 있었다.

창수는 그 대열 맨 끝에서 다른 사람들보다 더 힘없이 터덜거리는 엄마를 찾아냈다. 엄마를 보는 순간 그만 가슴이 뭉클했다. 엄마의 두 눈이 붉게 충혈되어 있었다. 엄마, 하고 부르려는데 엄마가 먼저 알아보고 외면하는 바람에 입을 다물고 말았다. 이해할 수 없는 일이었다. 다른 날 같았으면 쓸데없이 싸돌아다닌다고 욕을 한 바가지 퍼부었을 텐데.

앞에 있던 명재 엄마가 걸음걸이를 늦추더니 엄마와 보조를 맞추었다.

"창수 엄마, 너무 속상해하지 맙시다. 하늘이 무너져도 솟아날 구멍은 있다고, 무슨 수가 생기겠죠."

그 말이 떨어지자마자 엄마는 긴 한숨을 내쉬었다.

"수는 무신 수가 있겄소. 그저 없이 사는 게 죄지."

"그래도 동네 사람들 모두가 나서니까 구청장 얼굴이나마 본 거 아니겠어요? 앞으로도 오늘처럼 힘을 합치기만 한다면 구청에서도 지들 맘대로 하지는 못할 거예요."

명재 엄마가 확신에 차 있는 목소리로 위로의 말을 건넸다.

"그렇긴 허지만서두 동네 사람덜 심을 합치는 것이 을매나 오래 갈랑가 모르니께 허는 소리 아니겄소. 아, 지금이사

당장 급허니께 죽자사자 매달리는 것이제, 메칠 지나믄 너나 나나 모두 시들해 버릴 것이구만. 식구들 벌어 멕이기두 뼈 빠지게 심드는데 허구헌 날 구청으로 몰려 댕기믄서 데모나 헐 사람이 멫이나 되겄소?"

창수는 엄마의 한숨 섞인 얘기를 들으며, 오늘 동네 사람들 모두가 떼 지어 구청으로 몰려가기는 했지만 막상 이루어진 성과는 하나도 없는 거라고 생각했다.

"구청장이 한 말이 있으니까 그 말을 믿어야지요. 그만큼 높은 자리에 있는 사람이 실없는 소리를 하겠어요? 어쨌든 이번 겨울에는 철거하지 않는다고 했으니까 겨울을 넘기면서 좋은 방도를 생각해 봐야지요."

"좋은 방도가 뭣이 있겄소? 이번 겨울이든 내년 봄이든 집을 허물어 뿌린다는 건 기정사실인디. 그라고 워디 그 사람덜 말을 믿을 수가 있겄소? 오늘도 구청장이란 눔이 첨부터 우덜 말을 고분고분 들었소? 밖에서 하두 시끄럽게 떠들어쌓니께 마지못해 나와가지구 한 마디 씨부린 게지."

"다른 사람도 아니고 구청장 입으로 직접 한 말이니까 그건 믿어야지요."

"허기사 우덜처럼 없는 사람덜이 어뜩케 해 볼 도리가 있는 것두 아니지만, 오늘 구청장이란 눔이 허는 행동을 보믄 쬐깐도 믿을 맴이 생기지 않는다 이거지요. 첨에는 워떤 동네 개새끼가 와서 짖느냐 허듯이 코빼기두 내밀지 않드니, 우덜이 하두 소리를 배락배락 지르니께 마지못해 대가리를 삐죽 내민 거 아니겄소?"

엄마의 말이 더 이어질 것 같아서, 창수는 명재의 팔소매를 잡아끌고 슬그머니 옆 골목으로 피했다. 동네 어른들은 모두 화난 얼굴로 말없이 뿔뿔이 흩어지는데 엄마는 명재 엄마를 붙들고 푸념을 계속 늘어놓을 것이 뻔했다.

한바탕 떠들썩하게 술렁이는 일이 벌어졌다. 수돗물이 아침저녁으로 어린애 오줌 줄기처럼 쫄쫄거리며 나올 때까지만 해도 어디서 수도 공사를 하는 줄 알았다. 그러나 수돗물이 완전히 끊기고 그 이유가 동네를 철거하기 위해 수돗물 공급을 중단한 것이라는 사실을 알게 되었을 때 동네 사람들은 너나없이 나와서 흥분하고 분개했다.

이럴 수는 없는 거라고 했다. 철거를 하더라도 이번 겨울을 넘기고 할 거라고 구청장 입으로 분명히 말했는데, 추위가 밀어닥치는 이때 판잣집을 밀어내고 사람들을 쫓아낼 수는 없는 거라고 했다. 그날 구청장 옆에 있던 총무국장이라는 사람은 철거를 하더라도 동네 사람들과 충분히 협의해서 시행하겠다고 단단히 약속을 했다. 그랬는데 한 마디 의논이나 사후 대책도 없이 이렇게 집을 때려 부수는 것은 동네 사람들을 무시하는 처사로 도저히 그냥 넘길 수 없다고 동네 사람 모두가 격노하여 펄펄 뛰었다.

흥분한 동네 어른들은 다시 구청으로 몰려갔다. 홧김에 술을 마시고 가서 누구에게랄 것도 없이 마구 욕을 해대는 사람들도 있었다. 순미 아버지는 그들의 자제력 잃은 행동을 살살 달래느라고 무던히 애를 썼다. 흥분한 김에 엉뚱한 데서 일이 터지면 오히려 동네가 불리해진다고 했다. 순미 아버지는 이번에 철거하지 않겠다는 구청 측의 확답을 받지 못하면 시청으로 달려가자고 커다란 소리로 외치며 주먹 쥔 팔을 번쩍 치켜들었다. 순미 아버지를 뒤따르는 동네 사람들도 일제히 팔을 치켜들었다.

아이들도 술렁거리기는 마찬가지였다. 학교에서 돌아온 아이들이 공터에 모여들기는 했지만 말뚝박기를 하자고 말하는 아이는 하나도 없었다. 말뚝박기 놀이에는 관심이 없었다. 엄마나 아버지에 대한 걱정뿐이었다. 아무도 입을 열지 않았다.

창수도 엄마가 걱정되었다. 전투경찰에게 팔을 잡혀 끌려가는 엄마의 모습이 테레비 화면에서 보았던 장면처럼 선명하게 떠올랐다. 엄마는 끌려가면서 고래고래 소리를 질러댔을 것이다. 이눔덜아, 워디 집을 부실래문 실컷 부셔 봐라. 니덜 맘대로 해봐. 나는 한 발짝도 물러나지 않을 것잉께. 돈 없다구 무시 당하는 것두 서글픈데 이제 집까정 뺏기믄 우덜은 어뜩케 살라구 이리두 모질게 내모는겨. 어쩌면 엄마는 다른 어른들보다 더 발악을 했을지도 모른다. 어젯밤에는 너무 분하다며 잠을 이루지 못했으니까.

아무래도 구청에 가 보는 게 맞는다고 생각했다. 꼬맹이들이 이렇게 옹기종기 모여 걱정이나 한다고 해결될 일이 아니었다. 물론 아이들이 몰려간다고 해서 해결될 일도 아니지만, 동네 어른들이 모두 전투경찰에게 끌려갔을지도 모르는 마당에 이렇게 앉아 있을 수만은 없었다.

창수가 아이들을 둘러보며 입을 열었다.

"우리 모두 구청에 가 보자."

아이들이 창수를 향해 고개를 돌렸다. 창수가 계속 말을 이었다.

"여기서 걱정만 하지 말고 직접 구청에 가서 어떻게 되는 건지 알아보잔 말이야."

아이들이 고개를 끄덕이며 앞장서는 창수의 뒤를 따랐다. 모두가 딱딱하게 굳은 표정이었다. 평소에는 실없이 히히거리던 명재도 심각한 얼굴로 창수의 곁으로 바싹 다가섰다.

그런데 막상 구청으로 달려간 아이들은 맥이 탁 풀렸다. 구청 앞 광장은 생각과 다르게 조용했다. 최루탄 가스가 터지면서 눈물범벅이 된 어른들의 고함소리가 진동할지 모른다고 생각했다. 그런데 최루탄 냄새도 나지 않고 어른들의 고함도 들리지 않았다. 동네 어른들은 광장 한곳에 모여 앉아 있었다. 그 앞에서 머리가 반쯤 벗겨진 대머리가 메가폰을 들고 뭐라고 얘기를 하고 있었는데, 어른들은 그 얘기를 하나도 놓치지 않으려는 듯 조용히 듣고 있었다. 아이들을 먼저 본 순미 아버지가 저리 가라고 손짓을 하는 바람에 맥없이 발길을 돌렸다.

어른들이 동네로 돌아온 것은 저녁때가 다 되어서였다. 어른들은 먼젓번과 마찬가지로 아무런 말도 없이 뿔뿔이 흩어져 집으로 돌아들 갔다. 창수는 엄마의 눈치를 슬금슬금 살피며 방으로 들어갔다. 엄마는 방바닥에 앉자마자 한숨부터 길게 내쉬었다. 어이구, 한심한 작자덜 같으니라구. 이왕지사 일을 벌였으믄 어떻게든 끝장을 봐야지. 그까짓 대머리 훌러덩 벗겨진 눔이 쎗바닥 몇 번 놀린다고 홀딱 넘어가구 자빠졌어. 어림두 없지, 어림두 없어. 그눔덜이 증말루 봄에까정 기둘렸다가 집을 허물 거 같은감. 낼부터래두 당장에 포크렌

가지구 와서 담벼락부터 허물어 버릴 것이구만. 어차피 이 땅에다가 아파트를 짓겄다구 작정혔는디, 그 썩어빠질 눔덜이 우덜 처지를 을매나 봐줄 것이여. 허기는 이게 다 돈 없는 설움이지 뭐겄냐. 없는 눔덜이니께 돈 몇 푼 더 얹어준다는 말에 홀까닥 넘어가서 찍소리두 못허구 돌아온 거 아니겄냐. 창수는 오늘따라 엄마의 돈 얘기가 청승맞게 느껴져서 눈을 질끈 감고 말았다. 아버지도 끄응 하고 앓는 소리를 내며 벽 쪽으로 돌아누웠다.

동네는 또다시 술렁거렸다. 이틀에 한 번씩 오던 청소차와 분뇨차가 아무런 통보도 없이 오지 않아서 어려움을 겪게 된 것이다. 수돗물이 끊겼을 때보다 견디기 어려운 불편이었다. 가뜩이나 지저분한 골목인데 쓰레기가 산더미를 이루었고, 미처 처리하지 못한 재래식 변소에서는 똥이 철철 넘쳐서 심한 악취가 동네를 진동했다.

이 모두가 아파트 업자의 농간이었다. 동네 어른들은 분을 참지 못해 핏발 선 눈으로 또 구청으로 몰려갔다. 아파트 회사를 찾아가 유리창을 모조리 박살 내야 분이 풀리겠다는 사람도 있었고, 넘쳐흐르는 똥물을 퍼다가 구청 현관에 뿌리자는 사람들까지 있었다. 이번에는 누가 뭐라고 꼬드겨도 절대로 넘어가지 말고 끝장을 보자고 주먹을 불끈 쥐고 우르르 몰려갔다.

그런데 아침나절에 몰려간 동네 어른들은 밤이 되었는데도 돌아오지 않았다. 분명히 무슨 일이 벌어져도 크게 벌어졌다고 아이들은 생각했다. 공터에 모여 얼굴을 맞대고 있던 아이들은 밤이 깊었는데도 걱정이 되어 집에 돌아갈 수 없었다. 저녁 먹을 생각은 들지 않았다. 춥지도 않았다. 오직 불안한 마음뿐이었다.

창수는 엄마가 아침에 한 말을 곰곰 되씹었다. 학교에 가려고 책가방을 챙기고 있을 때였다. 창수야, 오늘 핵교 갔다와서 에미가 없으믄 아버지 약을 니가 뎁혀 드려야 쓰겄다. 아무래두 일찍 올 거 같지가 않다. 오늘 또 동네 사람덜이 고분고분 물러스믄 꼼짝없이 집 뺏기구 쬧겨날 판이니께, 무신 수가 있드래두 끝장을 봐야 쓸 것이다. 다른 사람이 나서지 않으믄 내라두 나서서 싸울 것이여. 창수는 엄마의 단호한 목소리가 가슴에 걸려서 학교에서도 내내 걱정만 하고 지냈다. 돈에 대하여 저주를 퍼부으며 살고 있는 엄마의 성질에 무슨 일을 벌여도 벌일 테니까.

아이들은 서로 멀뚱하게 얼굴들만 바라보고 있었다. 입술을 굳게 닫은 채 누군가가 먼저 말을 건네주기를 기다리고 있었다. 창수는 슬그머니 아이들 틈을 빠져나왔다. 엄마에게 된통 혼이 나더라도 그냥 앉아 있을 수만은 없었다. 다른 사람이 나서지 않으믄 내라두 나서서 싸울 것이여. 엄마의 목소리가 귓가에 쟁쟁했다.

"창수야."

골목을 막 꺾으려고 하는데 뒤에서 명재가 불러 세웠다. 뒤를 돌아보았다. 명재와 함께 다른 아이들도 모두 따라오고 있었다.

"같이 가자."

명재가 곁으로 다가섰다. 그렇지만 창수는 아무 말도 하지 않았다. 그냥 가던 길을 걷기만 했다. 아이들도 입을 다물고 따랐다. 한참 동안 어색했다.

"어떻게 됐을까?"

명재가 머리를 긁으며 멋쩍게 물었다.

"뭐가?"

계속 입을 닫고 있기가 미안해서 창수가 대꾸했다.

"정말로 사람들이 다 잡혀갔을까?"

"몰라."

"우리들이 집을 뺏기구 쫓겨나는 건 아니겠지?"

"몰라."

"만약에 쫓겨나면 어떡해?"

"몰라."

명재가 자꾸 물었지만 창수는 어느 한 가지라도 시원하게 대답할 수가 없었다. 진짜로 몰랐다. 창수도 명재처럼 여러 가지가 궁금하긴 마찬가지였다. 답답한 것도 마찬가지였다. 아파트를 번듯하게 짓는다는데 왜 어른들은 반대하는지, 아파트를 지으면 왜 쫓겨나야 하는지, 오늘은 끝장을 봐야 한다고 엄마가 말했는데 무슨 끝장을 보겠다는 것인지, 다른 때는 저녁이면 돌아오던 어른들이 오늘은 왜 여태까지 돌아오지 않는지 모르는 것 투성이였다. 창수가 자꾸만 모른다고 하니까 명재는 시무룩한 얼굴이 되더니 더 이상 묻지 않고 앰한 돌부리만 걷어찼다.

구청 앞 광장에는 동네 어른들이 보이지 않았다. 여기까지만 오면 어른들도 만나고 또 무슨 일이 있었는지 물어볼 수 있을 거라고 생각했던 아이들의 가슴이 덜컹 내려앉았다. 아까보다 더 큰 불안이 무겁게 가슴을 내리눌렀다, 무슨 큰일이 벌어진 것이 분명했다. 그러나 눈에 띄는 사람이 하나도 없어서 누구에게 물어볼 수도 없고, 아이들은 그저 멀뚱멀뚱 서로를 쳐다보기만 했다.

"어떡하지?"

그래도 먼저 말문을 연 것은 곰살궂은 명재였다.

"할 수 없잖아, 돌아가야지."

창수는 발길을 돌렸다. 뾰족한 방도가 떠오르지 않았다. 자신도 모르게 한숨이 쏟아졌다. 아이들도 따라서 발길을 돌렸다. 돌아서는 아이들의 발걸음이 천근만근 무거워 보이고 표정들은 한결같이 침울하게 굳어 있다.

바람이 차갑게 아스팔트를 쓸며 지나간다. 저 멀리 아파트 단지에서 쏟아지는 불빛들이 차가운 바람 속에서도 황홀하게 빛난다. 저기 사는 애들은 걱정이 하나도 없겠지. 창수는 목을 움츠리며 콧물을 훌쩍 들이마셨다. 기침이 나오려는지 목구멍이 간질간질하다. 기침을 하게 되면 엄마한테 감기약을 사 달라고 말해야겠다고 생각하는데 울컥 눈물이 치밀었다. 갑자기 엄마가 보고 싶어진다. 창수는 아이들에게 눈물을 들키지 않으려고 고개를 돌렸다. 아파트에서 쏟아지는 불빛이 흔들거린다. 손등으로 쓱 눈물을 닦았다. 그랬는데도 불빛은 계속 흔들거렸다.

빌라도의 설산(雪山)

어디서 나타났는지 까마귀 한 마리가 까르르륵, 날카로운 비명을 지르면서 쏜살같이 달려든다. 엉겁결에 고개를 젖히며 까마귀의 곤두세운 발톱을 피하기는 했지만, 온몸의 맥이 탁 풀렸다. 숨이 턱에 차오르며 가슴이 터질 듯 아프다.

나뭇가지를 거머잡은 채 겨우 몸을 지탱하고 있던 빌라도는 그 자리에 털썩 주저앉았다. 견디기 어려운 현기증이 일어난다. 눈을 질끈 감았다. 그러나 두근거리는 가슴은 좀처럼 진정되지 않았다.

한참이 지난 뒤에야 빌라도는 겨우 정신을 수습하고 저 멀리 길게 산맥을 이루어 우뚝우뚝 솟아있는 만년설 덮인 까마득한 산봉우리들을 바라보았다. 태고의 모습을 간직한 기이한 형상이 겹치고 이어진 거대한 설산은 햇빛을 받아 눈부시게 빛나고 있다. 하늘은 구름 한 점 없이 투명하다.

"어디 다치지는 않으셨는가요, 나리?"

뒤따라오던 노예 티그리우가 근심스러운 얼굴로 묻는다.

"괜찮다."

기침이 나오려는 것을 억지로 참으며 짤막하게 대꾸했다. 진심으로 걱정해 주는 검은 얼굴의 노예를 향해 억지로라도 웃어 주고 싶었지만, 입술에 경련이 일어나며 파르르 떨릴 뿐 웃음은 나오지 않는다.

아, 이놈이라도 곁에 있으니 다행이로구나.

빌라도는 근심스러운 얼굴을 하고 구부정하게 서 있는 티그리우를 그윽이 바라봤다. 올리브꽃이 만개한 계절에 집을 나와 방랑을 시작한 이후, 눈 내리는 계절이 훌쩍 지나가고 이제 또다시 올리브꽃 피는 계절이 돌아왔건만, 잠시도 곁에서 떠나지 않고 주인을 섬기는 충직한 노예였다. 나뭇가지에 긁혀 살갗이 찢어지고, 어느 계곡에선가 바위를 헛디뎌 겹질린 발목이 퉁퉁 부어오르고, 이제는 기진하여 이따금 헛것이 보이기도 하는데, 충직한 티그리우가 곁에 있음이 다행이라는 생각이 든다.

그러나 처음에는 덩치 커다란 노예가 따라나서는 것이 마뜩하지 않았다. 환락과 탐욕으로 가득한 집을 떠나 어디든지 혼자서 방황하다가 죽음의 신 타나토스가 일러주는 자리에서 거꾸러지리라 작정했었다. 그래서 야니쿨룸 언덕에 덩그러니 서 있는 늙은 올리브나무 가지 끝에 이지러진 달이 걸려 있던 어느 밤중에 아무도 모르게 침실 회랑을 빠져나왔는데, 어떻게 알았는지 티그리우란 놈이 눈치 빠르게 뒤를 바싹 따라나섰다. 어서 집으로 되돌아가라고 화를 내며 꾸짖기도 하고, 채찍으로 어깻죽지를 내려치기도 했다. 그렇지만 놈은 좀처럼 생각을 바꾸지 않았다.

"소인은 끝까지 나리를 모시겠습니다. 모든 사람이 경멸하는 미련하고 천한 노예지만, 나리가 무슨 끔찍한 생각에 잠겨 계시는지 짐작하고 있사오니, 제발 자비를 베푸시어 돌아가라는 분부만은 거두어 주십시오."

놈은 막무가내였다. 아무리 채찍으로 내리쳐도 꿈쩍하지 않았다. 채찍이 바람을 가르며 날카로운 소리를 내고, 흑갈색의 어깻죽지에 채찍 감긴 자국이 뱀처럼 꿈틀거리는 데도, 놈은 입술을 깨물며 신음 소리를 삼킬 뿐이었다.

"도대체 네깟 놈이 무얼 안다고 함부로 지껄이느냐?"

"나리, 인간의 대지를 품에 안고 계시는 데메테르 여신께서는 불쌍한 노예들에게 주인의 마음을 살필 수 있는 지혜를 주셨습지요."

"이놈아, 그 나불거리는 혓바닥을 뿌리째 끊어버리기 전에 냉큼 돌아가지 못할까?"

또다시 채찍을 내리쳤지만, 둥그렇게 웅크린 흑갈색 몸뚱어리는 조금도 움직일 줄 몰랐다. 눈물 젖은 얼굴로 꿇어 엎드려 주인의 발등에 입술을 맞추면서 바위처럼 꿈쩍도 하지 않았다. 결국 놈의 간청을 뿌리치지 못하고 채찍을 거두어야 했다.

쿨럭쿨럭, 참았던 기침이 터져 나오는 바람에 빌라도는 허리를 꺾으며 앞으로 고꾸라지고 말았다. 티그리우가 놀라서 허겁지겁 달려들었다.

"조금만 참으십시오, 나리."

"됐다, 그냥 두거라."

빌라도는 티그리우의 허둥거리는 손길을 제지했다.

"저기 언덕만 넘으면 마을이 있을 것 같습니다."

"마을이라……?"

과연 멀리 언덕 너머에서 희미한 연기가 가물가물 피어오르고 있다.

"예, 나리. 이제 마을에 들어서면 편히 누워 계실 수 있는 따뜻한 방을 마련토록 하겠습니다."

"따뜻한 방? 그래, 너야말로 따뜻한 방이 그립겠구나. 올리브 꽃망울이 돋는 계절이 돌아오기는 했지만, 별빛 쏟아지는 캄캄한 밤하늘을 쳐다보며 잠을 청하는 신세가 이제는 지겨울 것이니라."

"아닙니다, 나리. 그런 뜻으로 드린 말씀이 절대로……, 절대로 아닙니다. 소인은 다만……."

티그리우가 어찌할 바를 몰라 쩔쩔매며 말을 더듬었다.

"그만 해도 내 다 안다."

"못난 소인을 채찍으로 내리치십시오. 소인은 다만 나리께서 하룻밤만이라도 따뜻하게 누워 계시는 걸 보고 싶었을 따름인데, 비천한 소인의 입술이 그만 방정을 떨고……."

"아니다. 너의 충직함이 나를 기쁘게 하는구나. 그렇지만 너를 위해서 내 결심을 꺾을 생각은 없다."

빌라도는 덜덜 떨고 있는 덩치 큰 노예가 측은하게 여겨졌으나 단호하게 말을 잘랐다.

"채찍으로 등줄기를 내리치지 않으시는 은혜에 눈물이 솟구칩니다. 감히 입을 열어 못난 놈의 뜻을 말할 수 없는 노예라는 사실을 절대로 잊지 않겠습니다, 나리."

"정말로 너의 충직함을 내 안다고 했느니라."

비로소 빌라도의 입가에 웃음이 흘렀다. 그 웃음에 마음이 놓였는지 티그리우의 굳어 있던 얼굴이 풀어졌다.

"하늘을 지배하는 유피테르 신께 맹세하건대, 나리의 온화하고 형형한 눈빛은 언제나 자비로 가득하십니다."

티그리우가 다시 허리를 굽실거렸다.

순간 빌라도는 움찔했다. 온화하고 형형한 눈빛, 그 눈빛이야말로 자신을 괴롭히는 실체였다. 딱 한 번 마주친 눈빛, 부드러우면서도 힘이 드러나던 눈빛, 그러나 시도 때도 없이 나타나서 고통스럽게 괴롭히는 눈빛이었다. 그 눈빛의 사내는 나사렛의 젊은이라고 했다. 창검을 치켜든 병사들과 유대의 제사장들에게 둘러싸인 젊은이의 몰골은 피로한 듯 초췌했지만, 안광은 푸르게 살아 있었다.

몇 년 전, 야만인들로 득실거리는 유대 땅을 치안하라는 황제의 칙명을 받았다. 칙명의 이유는 그럴듯했다. 유대 땅은 민란을 일으키려는 도둑의 무리가 많아서 골머리를 앓고 있는 지역으로, 간악무도한 도둑의 무리를 소탕하고 유대 족속으로부터 세세토록 충성을 다하겠다는 새로운 서약을 받아내야 한다. 그러기 위해서 파견하는 총독으로는 현철과 용맹을 겸비한 빌라도만한 적임자가 없다는 것이었다. 그렇지만 오랫동안 소아시아의 전쟁터에 나가 있던 빌라도가 로마에 입성하기도 전에 다시 야만의 땅으로 가라고 하는 황제의 명령은 족제비를 닮은 늙은 호민관의 간특한 입김이 작용했기 때문이라는 사실을 뻔히 알고 있었다. 늙은 호민관의 가문과 빌라도의 가문은 대대로 척을 진 채 지내는 관계였으므로, 그 족제비는 소아시아에서의 임무를 명예롭게 마친 빌라도가 로마에 입성하는 것을 마뜩하게 여기지 않았다.

칙명을 어길 수는 없었다. 소아시아에서 전쟁을 치르는 동안 그곳의 호족들을 협박하고 구슬리느라고 기력을 소진한 상태였으나 불평을 드러낼 수도 없었다. 황제의 마음이 흡족할 만큼 뛰어난 공로를 세웠다고는 하지만, 그렇다고 황제의 지엄한 명령을 거역하는 불충이 용납되는 것은 아니었다. 빌라도는 황명을 받자마자 하루도 지체하지 않고 황금 신상 앞에서 충성을 맹세하고 유대 땅을 향하여 군대를 돌렸다. 자신을 야만과 황폐의 땅으로 내모는 늙은 호민관의 술수를 생각하면 주먹이 부르르 떨렸으나 황제에 대한 경의와 충성심만큼은 변함이 없었다.

유대 땅에서의 생활은 별로 힘들지 않았다. 오히려 변화 없는 하루하루를 보내는 것이 무료하기까지 했다. 대리석으로 화려하게 꾸민 목욕탕은 제법 호화로웠다. 향유를 발라주는 노예들의 손놀림도 만족스러웠다. 게다가 로마의 귀족들이 생각하는 만큼 그렇게 골머리를 앓게 하는 귀찮은 일도 없었다. 가뭄이 계속되면서 민심이 조금 술렁거리기는 했지만, 훈련된 병사들의 창검 앞에서 야만족들은 모두 숨을 죽이고 있었다.

그랬는데, 얼마 안 있으면 황제의 부름이 있을 거라는 로마로부터의 소식에 마음이 들떠서 조급해하던 어느 날, 유대의 제사장들이 젊은이 하나를 끌고 우르르 몰려와서 젊은이의 죄에 합당한 정당한 판결을 신속하게 내려 달라고 요구하는 일이 있었다.

유대의 제사장들이 초췌한 젊은이를 빌라도 앞에 세우더니 다짜고짜 젊은이의 죄에 대하여 재판을 해 달라는 것이었다. 빌라도는 이민족의 성가신 송사에 관여하게 되는 것이 탐탁지 않아서 이것저것 묻기도 전에 마침 예루살렘에 와 있는 분봉왕 헤롯에게 그 일을 떠넘겼다. 그런데 어찌 된 일인지 그 젊은이를 다시 데리고 와서는 자기들의 입맛에 맞는 판결을 해 달라고 집요하게 요구했다.

제사장들이 주장하는 젊은이의 죄목은 대충 이랬다. 그 젊은이는 나사렛의 예수라고 하는 자인데, 자칭 유대의 왕이라고 떠벌리며 해괴한 요술로 백성들을 미혹하며 돌아다닌다고 했다. 게다가 자기가 하늘에 있는 신 여호와의 아들이라는 망발을 지껄이며 다니는데, 더욱 가관인 것은 소경의 눈을 뜨게 하거나 앉은뱅이를 일어나게 하는 사술을 부려서 무지한 백성들의 눈을 어둡게 한다는 것이었다. 그러니까 젊은이에게는 십자가 형벌이 마땅하다고 주장했다. 큼직한 사파이어를 박은 금반지로 다섯 손가락을 요란하게 치장한 늙은 제사장은 몸집에 어울리지 않게 간사한 목소리로 젊은이의 죄목을 하나 더 덧붙였다. 저런 자를 그대로 뒀다간 백성들이 동요하는 것은 물론이고 황제 폐하의 존엄까지도 웃음거리로 만들지 않을까 걱정이 되지요, 라고.

저마다 떠들어대는 제사장들과 흥분한 무리의 위선적인 주장을 그대로 듣고만 있기가 역겨워서 빌라도는 그 젊은이를 가까이 오게 했다. 너덜너덜 찢어진 옷을 걸친 젊은이의 걸음걸이는 몹시 지친 듯이 보였으나 고개는 빳빳하게 들고 있었다.

"그대가 정말로 유대의 왕인가?"

빌라도가 퉁명스럽게 물었다.

"그렇소."

젊은이의 대답은 의외로 또렷했다.

"그렇다면 유대는 왕이 둘이나 된다는 말인가?"

"내가 왕이라 하는 것은 내가 진리의 왕이요 평화의 왕이며 승리의 왕이라는 말이오."

"젊은이여, 그대의 대답은 모호하기만 하구나. 왕이면 왕이라고 분명히 말할 것이지 내 앞에서 무슨 변명이 그리 많은가? 그대는 내가 황제의 통치를 대신한다는 사실을 모르는가?"

"하늘에 계신 아버지의 뜻이오."

그때 비로소 빌라도는 젊은이의 눈을 똑바로 보았다. 이상하게 가슴이 서늘해지는 느낌이었다. 날카로운 눈빛이 예사 사람은 아니었다. 그윽하고 평화로우면서도 어딘지 모르게 범접하지 못할 힘을 지니고 있었다. 지친 듯 보이는 외모와는 달리 눈빛만은 형형하게 빛나고 있었다. 매섭게 불타고 있었다. 빌라도는 자신도 모르게 눈을 내리깔았다. 순간적으로 아차 싶었다. 심한 굴욕감이 엄습했다. 황제의 이름으로 야만족을 다스리는 내가 이까짓 초라한 이방 젊은이의 눈빛에 눌리다니. 칵 하고 마른 가래를 끌어올렸다. 옆에 있던 노예가 화들짝 놀라며 급하게 들이민 타구에 가래침을 퉤 뱉고 몸을 벌떡 일으켰다.

그런데 생각지도 않았던 말이 툭 튀어나왔다.

"그대들 뜻대로 하라."

그리고는 소맷자락을 털고 돌아서서 목욕탕을 향해 걸음을 옮겼다. 그런데 영 기분이 언짢았다. 로마에서 직접 가져온 오랑캐의 꽃물로 목욕을 한 다음 금발의 여자 노예를 시켜 온몸에 향유를 바르게 했는데 그래도 머리가 개운하지 않았다. 푹신한 침대에 누워서 잠을 청했지만 영 찜찜했다. 목구멍에 걸렸던 가래침을 가증스러운 그 늙은 제사장의 얼굴을 향해 뱉어 주지 못한 것이 후회스러웠다.

까륵 까르륵, 어디선가 까마귀가 또다시 사납게 울었다. 나사렛 젊은이의 기억에 사로잡혀 있던 빌라도는 까마귀의 울음소리에 놀라 고개를 번쩍 치켜들었다. 야릇한 충동이 몸을 휘감는다. 만년설 덮인 산꼭대기에서 누군가가 손짓하며 부르는 것만 같다.

"여기가 어디쯤인지 알고 있느냐?"

꾸부정하게 서 있는 티그리우를 향해 의미 없는 물음을 던졌다. 사실 여기가 어디인지 알아서 무엇 하겠는가. 허망한 세상을 정처 없이 떠돌다가 죽음의 신 타나토스가 일러 주는 계곡에서 팔뚝의 핏줄을 끊으면 그만이라고 생각하지 않았던가.

"헬베티아(지금의 스위스) 땅을 밟은 지가 꽤 오래되었습지요. 저 앞에 보이는 설산에 헬베티아 사람들이 섬기는 신이 살고 있다는 말을 들었습니다."

티그리우가 맥없이 대답했다.

"헬베티아라? 참 멀리도 왔구나."

"송구스러운 말씀이지만 나리는 여기까지 멀리 오시는 동안 잠시도 편하게 쉬지를 못하셨습니다."

"무엇이 편하게 쉬는 것이냐?"

"제 말씀은……, 나리께서 단 하루도 따뜻한 잠자리에 들지 못하셨다는 말씀입지요."

"그랬던가?"

"맞습니다. 기껏해야 양 치는 머슴꾼들의 헛간에서 이슬을 피하시는 게 고작이었습니다."

티그리우가 다시 머리를 조아렸다.

"그래? 그렇다면 오늘은 어디 따뜻한 잠자리를 찾아보려무나."

빌라도는 곁에 있는 나무등치에 몸을 기대며 티그리우를 향해 빙긋 웃어 주었다. 그러자 티그리우의 얼굴이 환하게 펴졌다.

"그 말씀이 정말입니까, 나리?"

"왜 믿기지 않는다는 말이냐?"

"그게 아니옵고, 너무 뜻밖의 분부라서 제 귀를 의심하고 있습지요. 혹시나 이 못난 놈의 귀가 나리의 말씀을 잘못 들었을까 걱정입니다."

"아무러면 내가 너에게 빈말을 하겠느냐?"

"진정으로 현명하신 말씀에 그만 소인의 가슴이 울렁거립니다."

"아까도 말했지만, 내 너의 충직함을 알고 있다."

"나리의 끝이 없는 인자하심에 목이 멥니다. 이제 잠시만 이곳에서 쉬고 계시면 잰걸음에 달려가서 안락한 방을 마련하고 돌아오겠습니다.

"알겠다. 그렇지만 너무 서둘다가 개한테 물리는 일은 없도록 하거라."

빌라도가 고개를 끄덕이며, 언젠가 밀밭이 넓게 펼쳐진 마을을 지나가던 길에 개들이 사납게 짖으며 달려드는 통에 기겁했던 일이 떠올라서 실없이 주의를 주었다.

"걱정하지 마십시오. 아무리 사나운 개라도 한주먹에 거꾸러뜨릴 자신이 있습지요."

티그리우가 주먹을 불끈 쥐어 보이더니 희미한 연기가 피어오르는 언덕 너머를 바라보며 걸음을 옮겼다. 너무 오랫동안의 풍찬노숙으로 지칠 대로 지쳤을 몸이건만, 흑갈색 노예의 걸음걸이는 아직도 든든해 보인다. 그래, 가거라. 이제는 어디든지 가서 너를 위해 살거라. 자유롭게 살거라. 더 이상 노예라는 신분으로 얽매이지 않을 것이다. 빌라도는 점점 멀어져가는 티그리우의 뒷모습을 망연히 바라보며 중얼거렸다.

티그리우가 키 작은 관목들이 거칠게 뒤덮인 언덕배기 한 복판으로 사라져서 보이지 않게 되었을 때, 빌라도는 늘어진 나뭇가지를 붙잡고 겨우 몸을 일으켰다. 머리가 지끈거리고 아팠지만 그대로 주저앉아 있을 수만은 없었다. 티그리우가 돌아오기 전에 가능한 한 멀리 떠나야 한다는 생각에 입술을 깨물며 아픔을 참았다. 충직한 흑갈색 노예는 주인을 걱정하며 금방 되돌아올 것이다. 그러기 전에 이 자리에서 멀리 벗어나야만 한다. 그에게 더 이상의 고통을 얹어주어서는 안 된다. 빌라도는 건너편 설산을 잠깐 바라보고 나서 이윽고 한 발짝 걸음을 내디뎠다.

서너 발짝 걸음을 옮기고 나니 걷는 것은 그런대로 괜찮았다. 이대로 계속 걷는다면 티그리우가 절대로 찾지 못할 것이다. 빌라도는 지팡이로 쓸 만한 나뭇가지를 찾으려고 두리번거리다가 멈칫했다. 갑자기 현기증이 일면서 머리가 핑 돈다. 나사렛 젊은이가 눈앞으로 와락 달려드는 바람에 홱 고개를 돌렸다. 무거운 십자가를 어깨에 메고 힘겹게 끌려가는 젊은이의 지친 모습, 그것은 꿈속에서뿐만 아니라 백주 대낮에도 나타나서 괴롭히는 지긋지긋한 형상이었다. 어떤 때는 병사들의 채찍을 맞으면서도 그 형형한 눈을 들어 골고다 언덕을 바라보는 의연한 모습으로 나타나기도 했다. 직접 눈으로 본 것처럼 생생했다.

먹장구름이 하늘을 가득 덮으며 한 치 앞을 분간할 수 없을 만큼 캄캄해지더니 난데없이 장대비가 세차게 내리꽂히고 있었다.

"기어이……, 그 사람의 숨이 끊어졌나 봐요."

밖에서 들어온 아내가 조심스럽게 입을 열었다.

"그게 무슨 뜬금없는 말이오?"

빌라도는 아내를 힐끗 바라보며 무심하게 물었다. 그런데 등불에 비친 아내의 얼굴은 새하얀 양피지처럼 핏기 없이 창백했다.

"십자가에 달린 그 사람이 기어이 죽었다구요."

"누가?"

"나사렛의 젊은이, 예수."

"예수? 자기가 이 나라의 왕이라고 떠벌리며 사람들을 미혹했다는 그자?"

"맞아요, 그 사람."

"그래, 그자가 죽은 게 당신하고 무슨 상관이오?"

"죄 없는 사람이 죽었으니까요."

아내의 입술이 파르르 떨렸다.

"유대의 제사장들이 그자는 분명히 죄인이라고 했소. 해괴망측한 요술로 백성을 현혹하고 자기 스스로 왕이라 칭하며 민심을 어지럽게 하는 협잡꾼이라고도 했소. 게다가 십자가 형벌도 내가 판결한 것이 아니라 유대 제사장들이 원한 것이오."

빌라도는 괜히 심사가 뒤틀렸다.

"그래도 그 사람은 죄가 없어요."

평소에는 빌라도의 말이라면 한마디도 토를 달지 못하던 아내가 의외로 완강했다.

"무엇으로 그걸 믿겠소?"

"내가 봤어요."

"무얼? 도대체 무얼 봤다고 그리하는 소리요?"

"몰려든 사람들이 모두 안타까워했어요. 그 사람은 통나무로 된 십자가를 어깨에 짊어지고 골고다 언덕을 향해 끌려가고 있었죠. 채찍을 맞은 몸뚱이가 너덜너덜하게 찢어지고 피딱지가 엉겨 붙어서 차마 눈 뜨고는 볼 수 없이 처참했어요.”

“아니, 그렇다면 당신이 야만인들이 득실거리는 그 더러운 거리에 있었단 말이오?”

빌라도가 소리를 질렀다.

“그들 모두가 다 야만인은 아녜요. 피범벅이 된 그 사람이 돌멩이에 걸려 쓰러지면서 십자가에 깔렸는데, 바로 그때 군중 속에 있던 한 젊은이가 튀어나와 대신 십자가를 짊어지려고 했어요. 그랬는데 무슨 일이 일어났는지 아세요? 당신이 자랑하는 그 용맹한 로마 병사가 매정하게 채찍을 힘껏 내리쳤어요. 채찍은 무서운 소리를 내며 두 사람을 한꺼번에 휘감았죠.”

“그만하시오. 어쨌든 그자들은 야만인이오.”

“야만인이라고 멸시하지만, 당신이 그 사람의 눈빛을 봤어야 했어요. 자기의 몸뚱이를 향해 채찍을 휘두르는 병사를 바라보는 그 눈빛은 원망도 분노도 없었어요. 핏발도 서지 않았어요. 그저 잔잔한 호수처럼 그윽하고 맑았어요. 분명한 것은, 죄가 있다면 그렇게 맑은 눈빛을 가질 수 없다는 거예요. 어쩌면 그 눈빛은…….”

아내의 말을 끝까지 듣지 못하고 빌라도는 의자에서 몸을 벌떡 일으켰다.

“그만하라고 했는데……. 당신의 얘기를 계속해서 들을 만한 인내심이 내게는 없소. 내 명령하건대 입을 다물고 이 방에서 나가시오. 그렇지 않으면 시위 병사에게 끌려 나가는 모욕을 당할 것이오.”

화가 머리 꼭대기까지 치밀었다. 도대체 아내의 태도를 이해할 수가 없었다. 그까짓 야만인 하나를 십자가에 매단 것이 무어 그리 흥분할 일인가.

“……뒤따르는 모든 사람을 따뜻하게 어루만져 주는 그런 눈빛이었어요.”

아내는 혼잣말로 중얼거리며 천천히 창가로 다가갔다. 그리고 손을 들어 캄캄한 하늘을 가리켰다.

“저 창밖을 좀 보세요. 도무지 심상찮은 어둠이지 않아요? 아마 온몸의 피가 모두 흘러나와 땅바닥을 적시고 마지막 숨이 안타깝게 끊어지는 순간 저 어둠이 시작됐을 거예요.”

“당신은 그럼 저 어둠을 두려워하고 있단 말이오? 우습구려. 구름이 끼고 비가 내리는 것은 언제나 있는 일인데 그토록 두려움에 사로잡혀 있다니……. 영험하신 로마의 신들이 우리를 지켜주고 있으니 어서 이 방을 나가기나 하시오.”

마침내 빌라도는 참았던 화를 견디지 못하고 아내의 등짝을 거칠게 밀어냈다.

그랬는데 칠흑 같은 어둠 속에서 장대비는 잠시의 틈도 없이 내리쏟아졌다. 노예들이 구석구석 모여서 두려움에 떨며 웅성거렸다. 하는 수 없이 빌라도는 새끼 양을 잡아 불을 밝힌 방마다 피를 뿌리게 했고 황금 신상 아래에서 제사를 지냈다. 그렇지만 새끼 양의 피는 아무런 효험이 없었다. 어찌나 빗줄기가 세차게 내리꽂히는지 성곽 여기저기가 무너져 내리고 있다는 고변이 연달아 들어왔다. 아예 마을 전체가 쓸려 나갔다는 고변도 있었다.

사흘 밤 사흘 낮을 그렇게' 쏟아붓던 비가 거짓말처럼 뚝 그치고 아침 햇살이 유난히 눈부시게 빛나는 아침에 빌라도는 가위에 울려 팔다리를 허우적거리다가 어린 노예가 흔들어 깨우는 바람에 비명을 지르며 잠에서 깨었다. 무서운 꿈이었다. 꿈속에서 그 나사렛의 젊은이를 보았다. 가시나무에 찢긴 젊은이의 얼굴은 온통 피투성이로 참혹했지만, 빌라도를 뚫어지게 응시하는 눈빛만은 또렷이 살아 있었다. 이글이글 타오르는 눈빛은 차마 마주볼 수 없을 만큼 위엄마저 느껴졌다. 빌라도는 그 안광에 주눅이 들어 두 손으로 제 목을 조르며 버둥거렸다.

식은땀으로 범벅이 된 빌라도는 송아지를 잡아 오라고 고래고래 소리를 질렀다. 어린 노예가 무슨 영문인지 몰라서 쭈뼛거리며 서 있자 빌라도는 머리맡에 놓아두었던 호신용 단검을 집어 들었다. 어린 노예가 사색이 되어 뛰쳐나가고 잠시 뒤에 시위 병졸들이 송아지를 메고 들어왔다. 빌라도는 단걸음에 달려들어 송아지의 멱을 찔렀다. 사방으로 피가 튀었다. 눈동자가 풀어진 빌라도는 무릎을 꿇고 검붉은 핏물을 온몸에 바르며 주문을 외웠다. 그가 알고 있는 로마의 모든 신들을 불러들였다. 그러나 그 주문은 정작 헛소리가 되어 공허하게 울릴 뿐이었다.

그 후에도 나사렛의 젊은이는 꿈속에 자주 나타나서 빌라도를 괴롭혔다. 어떤 때는 십자가에 매달린 채로 또 어떤 때는 수의를 입은 모습으로 나타났다. 젊은이는 아무런 말도 하지 않고 그저 바라보기만 하는데도 정작 빌라도는 꿰뚫는 듯한 그의 눈빛이 두렵기만 했다. 너는 네 동족 제사장들이 십자가에 매단 것이다. 그러니 나를 원망하지 말고 썩 물러가라. 아무리 소리를 지르고 발버둥을 쳐도 나사렛 젊은이의 눈빛은 꿈쩍도 하지 않았다. 요지부동의 그 의연함이 더 섬뜩해서 빌라도는 잠에서 깨어나면 칼을 찾아 허공에 대고 마구 휘둘렀다.

밤이고 낮이고 나사렛 젊은이의 눈빛에 시달리던 빌라도는 문득 자신이 지나치게 쇠약해졌음을 근심하게 되었다. 크고 작은 전쟁터에서 다져진 우람한 몸집이었건만 광대뼈가 툭 불거져 나올 정도로 기력이 빠져나가고 있었다. 아무래도 유대 땅에 계속 머물러 있다가는 큰일을 당할 것이 뻔했다. 당장 로마로 돌아가지 않으면 안 될 형편이었다. 그래서 원로원 의원의 측근인 장인의 힘을 내세워 로마로 돌아갈 수 있게 해 달라는 간청을 황제께 올렸다. 이번에도 그 족제비 같은 늙은 호민관이 훼방을 놓기는 했지만 은혜롭게도 황제는 빌라도의 입성을 허락했다. 다행히 로마에서는 나사렛 젊은이가 나타나지 않았으므로 기력을 다시 회복하게 되었다.

그렇지만 아내는 달랐다. 날이 갈수록 눈에 띄게 말수가 줄어들고 하염없이 하늘을 바라보며 수심에 잠기는 날이 많았다. 잘 익은 복숭아처럼 팽팽하고 보드랍던 얼굴은 핏기가 가시며 수척해졌다.

"도대체 무엇 때문에 그토록 근심스러운 얼굴을 하고 있소?"

하루는 분수대의 물줄기를 물끄러미 바라보고 앉아 있는 아내에게 다가가 물었다.

"아무것도 근심하는 일은 없어요."

표가 나게 수척해진 얼굴과는 달리 아내의 목소리는 의외로 청아했다.

"당신 얼굴을 보면 걱정거리가 있는 게 분명해."

"아니라니까요. 오히려 마음이 고요해졌어요."

"거짓말……?"

"안 믿어도 좋아요. 하지만 나는 새로운 삶과 평화를 찾아서 기쁨에 들떠 있답니다."

"무슨 뜻이오, 그 말은?"

"지금까지 살아온 헛되고 헛된 삶을 떨치고 영원한 평화의 삶을 깨달았다는 뜻이에요."

"어떻게?"

빌라도는 피식 웃음을 흘렸다.

"그분의 가르침을 깨닫기 시작했거든요."

고개를 돌려 바라보는 아내의 눈이 반짝 빛을 냈다.

"그분이라니?"

"나사렛의 예수, 당신이 십자가에 매달도록 한 그 사람이죠."

그 소리를 듣는 순간 빌라도의 목덜미가 갑자기 뻣뻣해졌다.

"지금, 아니 지금, 그 야만인 얘기를 하는 거요?"

눈앞이 캄캄해지며 피가 솟구쳐 올라왔다. 로마로 돌아와서 겨우 잊고 있었던 유대 땅의 그 야만인을 또 떠올리게 하다니 도저히 아내를 용납하지 못할 것 같았다.

"그분은 야만인이 아녜요."

아내가 결연하게 잘라 말했다.

"야만인이 아니면?"

"그분의 말씀을 깨닫고 나니까 그분은 이 세상 사람들에게 영원한 삶과 평화의 삶을 가르쳐 주려고 오신 분이었다는 걸 알았어요. 서로 사랑함으로써 평화의 삶을 회복하고 서로 사랑함으로써 영원한 하늘나라를 얻으라는 가르침을 우리에게 주었어요. 하물며 원수까지도 사랑하는 것이 진정한 사랑이라고 하셨지요."

"그렇다면 당신은 항간에 떠돌아다니는 그 해괴한 소문을 믿는단 말이오?"

거리에는 이상한 소문이 입에서 입으로 조심스럽게 퍼지고 있다는 것을 빌라도는 이미 알고 있었다. 십자가에 달렸던 그 젊은이가 다시 살아났다는 믿을 수 없는 소문이었다. 그렇지만 빌라도는 또다시 그 눈빛의 공포에 시달리는 것이 끔찍해서 일부러 소문을 외면하기로 했다. 그랬는데 정작 아내로부터 나사렛 젊은이의 이름을 듣는 순간 일부러 피하려고 했던 두려움이 스멀스멀 밀려드는 것을 어쩌지 못했다.

"해괴한 소문이 아니라 진짜로 그분은 부활하셨고 하늘로 올라가셨어요."

아내의 얼굴에 고요한 미소가 번졌다.

"눈으로 본 것도 아니고 어찌 그런 터무니없는 소문을 믿는단 말이오?"

"눈으로 본 사람들이 있는걸요. 유대에서 온 그분의 제자들이 부활한 그분을 직접 만났던 사실을 확실하게 증거하며 다니고 있어요."

"나 참, 기가 막혀서……. 이 세상은 오직 신만이 삶과 죽음을 다스리고 있소. 그런데 사람이 어찌, 그것도 짐승 같은 야만인이 어찌 죽었다가 다시 살아날 수 있단 말이오? 우리를 지배하고 있는 로마의 여러 신들조차 죽었던 사람을 다시 살렸다는 얘기는 없소. 다시는 그런 해괴하고 요사스러운 수작에 넘어가지 않도록 제발 정신을 차리시오."

아무래도 아내의 정신이 이상해졌다고 생각하며 빌라도는 그 자리를 벗어났다.

"누가 뭐라든지 나는 그분의 가르침을 따르기로 했어요."

아내의 목소리가 따라왔지만, 고개를 돌리지 않았다.

그것이 아내에게 들은 마지막 말이었다. 공회당 마당에서 어느 나이 먹은 철학자의 웅변을 듣고 새벽녘에 아내의 침실을 찾았을 때 아내는 없었다. 다음 날도 그 다음 날도 아내는 보이지 않았다. 늙은 하녀 하나만을 데리고 집을 나가는 아내를 본 노예가 있었다.

아내가 집을 나간 다음부터 나사렛 젊은이의 환영이 또 빌라도를 괴롭혔다. 고통을 견디다 못해 어느 때는 그를 십자가에 매달도록 묵과한 것을 후회하기도 했지만, 그럴 때마다 그깟 야만족 하나로 인하여 마음이 흔들리는 자신을 비웃었다. 요사한 환영을 쫓아낼 요량으로 용하다는 술사를 불러 점을 치기도 하고 몇 날 며칠 동안 제사도 지냈다. 그러나 효험은커녕 오히려 아내까지 나타나서 괴로움을 더하기만 했다. 아내는 더할 수 없을 만큼 평온한 얼굴로 다가와서 환하게 웃곤 했다. 미치지 않고서는 도저히 배겨나지 못할 지경이었다.

도대체 그 젊은이가 무엇이기에 이리도 내게 달라붙어 떨어질 줄 모르는가. 십자가에 매달려 죽은 그에게 어떤 불가사의한 힘이 있기에 아내는 그의 가르침을 따르겠다며 호화로운 이 집을 버리고 뛰쳐나갔는가. 아내의 말로는 그가 이 세상 사람들에게 영원한 삶과 평화의 삶을 가르쳐 주려고 왔다고 했는데, 그렇다면 무엇 때문에 아무런 변명도 없이 고분고분 십자가 형장으로 끌려갔는가. 원수까지도 사랑하라고 했다는 사람이 어찌 눈앞에서 어른거리며 괴롭히는가.

빌라도는 괴로움을 벗어나기 위해서 밤마다 연회를 베풀었다. 친구들을 불러 진탕 술을 퍼마시고 노예를 희롱하는 동안은 그 젊은이의 형형한 눈빛을 피할 수 있었다. 환하게 웃는 아내의 얼굴도 잊을 수 있었다. 그러나 그것도 잠시뿐이고 연회가 끝나면 또 다른 공허함과 고통이 해일처럼 밀려들었다.

정말로 살아 있다는 것이 지긋지긋했다. 환락과 탐욕으로 채워진 친구들의 교묘한 말솜씨에도 신물이 났다. 모든 것이 허망하기만 했다. 결국은 집을 떠나기로 작정했다. 집을 떠나 떠돌아다니다 보면, 죽을 사람에게 찾아와서 머리카락을 칼로 잘라 그 영혼을 저승으로 데려간다는 죽음의 신 타나토스가 나사렛 젊은이의 환영을 떨쳐버릴 적당한 장소를 지정해 줄 것이라고 믿었다. 그곳에서 타나토스에게 머리를 맡기고 거꾸러지면 그만이라고 생각했다.

산줄기를 타고 올라가던 빌라도는 돌부리에 걸려 그만 앞으로 냅다 엎드러지고 말았다. 숨이 턱에 받치고 온몸으로 땀이 쫙 흘러내린다. 가쁜 숨을 몰아쉬며 겨우 바윗등을 의지하고 몸을 바로잡았다. 맥이 탁 풀린다. 노예 티그리우를 따돌리고 나서 꼬박 사흘 밤을 더 걸었으니 기력이 남아 있을 리가 없다.

어젯밤에는 오한이 심해져서 목동들이 쓰던 헛간을 찾아 밤이슬을 피했는데, 가위에 눌려 진땀을 흘리며 눈을 떴을 때에는 이미 엉성한 널빤지 틈새로 햇살이 기어들고 있었다. 헛간 바닥에 떨어져 있는 보리 알갱이를 쓸어 모아 요기를 하고 나서 다시 산꼭대기의 만년설을 향해 무거운 발걸음을 내디뎠다. 그랬는데 이제는 더 이상 버틸 힘이 없다. 아무리 용을 써도 옴짝달싹하지 못하겠다. 불현듯 타나토스가 머리카락을 자르러 오는 자리가 바로 이곳이 아닐까 하는 생각이 든다. 벼랑길 아래쪽에서 졸졸 물 흐르는 소리가 들려왔다. 그 물소리가 갑자기 천둥소리가 되어 빌라도의 뒤통수를 때렸다. 그래, 여기가 바로 타나토스의 계곡이다. 빌라도는 조금도 주저하지 않고 엉덩이를 끌며 벼랑 아래로 몸을 굴렸다.

계곡물은 제법 깊다. 산꼭대기의 만년설에서 발원하여 깊은 계곡을 따라 흘러내린 물은 살 속을 파고드는 듯이 차가웠지만 주저할 까닭이 없었다. 빌라도는 허리춤에서 단검을 뽑아 들고 팔뚝을 확 그었다. 빨간 핏물이 계곡물에 번지며 꽃잎처럼 흐른다. 흘러가는 핏물 속으로 나사렛 젊은이의 눈빛이 함께 떠내려간다. 집을 떠나 오늘까지 고행의 길을 택

했지만, 아직까지도 그 의미를 깨달을 수 없는 기묘한 눈빛이었다. 그러나 괴로움의 실체였던 젊은이의 눈빛에서는 원망도 분노도 느껴지지 않는다.

정신이 혼미해지기 시작했다. 갑자기 누군가가 머리채를 낚아채는 바람에 눈을 부릅뜨고 고개를 꼿꼿이 들었다. 타나토스여, 기다리지 말고 어서 데려가시게. 빌라도가 새빨간 핏물이 휘돌며 흘러가는 차가운 계곡물에 머리를 처박으며 맥없이 쓰러진다. 멀리 어디선가 까마귀 울음인지 아니면 티그리우의 다급한 목소리인지 분간할 수 없는 소리가 아련히 들리더니 이내 메아리가 되어 까마득히 멀어져간다.

로마의 우기(雨期)

주차장 구석 자리에 차를 세워 놓고 트렁크에서 우산을 꺼내 들었다. 하늘이 잔뜩 찌푸려 있다. 지난 이틀 동안은 하늘 전체가 비루먹은 강아지처럼 우중충하고 지저분했으니, 오늘은 영락없이 비가 쏟아질 것이다. 로마에서는 가을부터 겨울까지가 우기인데, 우기가 되면 이틀을 넘기지 않고 비가 내린다. 우기에 내리는 비는 이른 봄날 밀밭을 적시는 잔다란 가랑비와는 달리 한꺼번에 세차게 쏟아진다.

호텔 로비에서 서성대는 한 무리의 여행객들이 보였다. 회전문을 어깨로 밀치고 들어서면서 나는 숨을 깊게 들이마셨다. 예사롭게 행동하려고 애썼지만 가슴이 두근거려서 견디기가 어렵다. 여행자 명단에 있는 그 이름이 정말로 선생님이 맞는다면 어떻게 인사를 해야 할까. 그리고 선생님은 거짓말 같은 우연을 어떤 표정으로 받아들이실까. 우산을 쥔 손에 힘이 들어갔다. 얼굴이 화끈거린다.

어제 오후였다. 스웨덴의 어떤 산골 마을에서 단체 여행을 온 노인들을 공항까지 배웅해 주고 파김치처럼 늘어져서 사무실로 들어섰다. 사무실에는 빈센트 혼자서 책상 위에 다리를 올려놓고 태평하게 껌을 쩍쩍 씹고 있었다. 나는 숄더백을 의자에다 팽개치듯 던지며 휴우 하고 숨을 길게 내쉬고 나서 빈센트를 향해 너무 피곤해서 그러니 내일은 하루쯤 쉬게 해 달라고 말했다. 그러자 빈센트는 고개를 설레설레 저었다.

"요즘 바쁜 거 뻔히 알면서 누구 골탕 먹이려고 그래?"

빈센트는 책상에 걸치고 있던 다리를 내려놓고 엉거주춤 일어서며 무슨 큰일이나 난 것처럼 미간을 찡그렸다. 저 자식은 완전히 두 얼굴이야. 침대 위에서는 덩치에 어울리지 않게 어리광을 떨다가도 사무실에만 들어오면 아예 얼굴에 철판을 깔고 모른 척이야. 나는 빈센트의 끝이 갈라져 나가는 목소리에 기분이 상했지만, 그 불쾌한 기분을 겉으로 드러내지는 않았다.

“내일은 어느 나라 팀이야?”

그제서야 빈센트는 얼굴을 폈다.

“사우스 코리아…….”

그의 말이 채 끝나기도 나는 소리를 팩 질렀다.

“나 한국 팀 좋아하지 않는 거 뻔히 알잖아?”

빈센트가 능글거리며 어깨를 으쓱했다.

“알지도 못하면서 왜 그렇게 흥분해?”

“뭘, 내가 뭘 모른다는 거야?”

“이번 주에 오는 팀이 모두 한국 사람들뿐이니 어쩔 수 없는 거 아냐?”

그렇다면 할 수 없군. 나는, 판테온 신전이 어떻고 오벨리스크 탑이 어떻고 하는 것은 몰라도 좋으니 어서 백화점이나 안내하라고 경박하게 재촉하는 두툼한 입술의 여편네들을 떠올리며, 무심코 빈센트 책상에 놓인 서류철을 힐끗 봤다. 그런데 순간적으로 흠칫했다. 까마득하게 잊혔던 이름인데 그 이름이 서류철에서 튀어나오며 내 눈을 덮었다. 앞이 캄캄해지며 소름이 돋았다.

“이거……, 이거 무슨 팀이야?”

내가 목청을 돋우며 물었다.

“선생…….”

"선생님들?"

"그래, 거기 선생들 연수팀이라고 적혀 있잖아. 선생들 팀이든 장사꾼들 팀이든 어쨌든 요 몇 년 사이에 세계화니 국제화니 하면서 한국 사람들이 부쩍 우리 같은 관광회사 금고를 채워 주고 있으니 얼마나 다행이야."

서류철을 내 눈앞에 들이대며 흔드는 빈센트는 표정은 여전히 능글맞다.

"정말 선생님들 팀이 맞아?"

나는 허둥거리고 있었다.

"보면서도 물어? 그런데 왜 그래, 한국에서 오는 팀을 처음 맡는 것도 아니고? 혹시 아는 사람이라도 있어?"

"아냐. 그냥……물어봤어."

나는 도리질을 했다. 아닐 거야. 우연히 같은 이름이겠지. 세상에는 같은 이름도 많으니까. 아득한 세월 저편에서 잊혔던 선생님을 그 아득한 세월을 건너 한국의 반대편에 있는 나라에서 만난다는 것은 도저히 현실성이 없는 거라고 나 자신에게 최면을 걸었다. 계속 도리질을 했다. 나 집에 갈래, 하며 숄더백을 집어 드는데 빈센트가 앞을 가로막더니 어깨를 짚었다. 그러더니 두 사람밖에 없는 것이 뻔한 사무실을 두리번거리며, 오늘 밤 어때, 하고 발정난 수캐처럼 식식거렸다. 벌겋게 달아오른 그의 얼굴을 보며 대답 대신 고개를 가로저었다.

로비 여기저기 삼삼오오로 흩어져서 서성이던 사람들이 인솔자를 중심으로 둥그렇게 모였다. 얼굴들이 하나같이 부석부석하다. 시차 적응이 안 됐거나, 아니면 이국에서의 첫날을 잠으로 보낼 수 없어서 밤이 늦도록 술을 마셨음이 분명하다.

단체 여행자들 대부분이 그렇듯이, 이들도 호텔방에 모여서 밤늦게까지 부어라 마셔라 하다가 호텔 데스크로부터 전화를 받았을 것이다. 옆방에서 시끄럽다고 연락이 왔습니다. 물론 아시겠지만 여기는 손님들만 투숙하고 있는 게 아니라 여러 나라의 많은 사람이 머물고 있습니다. 그러니까 예의를 지켜주셔야 합니다. 만약 다른 방에서 항의 전화가 또 오면 우리는 부득이 경찰에 알릴 수밖에 없습니다. 호텔 안내인이 낮고 빠르게 지껄이는 영어를 대충 짐작으로 알아들은 이들은 투덜거렸을 것이다. 그 자식들 되게 웃기네, 내 돈 내고 자는 방에서 내가 마시는데 뭐가 어떻다고 전화질들이야. 그때 그 옆에서 누군가가, 이 사람아, 로마에서는 로마법을 따르라는 말도 모르는가, 게다가 여기는 진짜로 로마인데, 하고 얘기하는 바람에 왁자지껄 웃다가 자기들의 웃음소리가 너무 크다는 사실에 머쓱해져서 궁시렁거리며 각자 배정받은 방으로 돌아갔을 것이다.

"어렵게 온 사람들이니까 안내를 잘 부탁합니다."

한국에서 온 낯익은 가이더가 소개한 인솔자가 점잖은 목소리로 느릿하게 말했다.

"선생님들이니까 저보다 더 많이 아실 텐데요, 뭘."

내가 한 발짝 뒤로 물러서며 가볍게 허리를 굽히자 그는,

"선생을 하다 보니까 이것저것 귀동냥한 게 있기는 해도, 어디 여기서 직접 가이드를 하는 분께 갖다 대겠소."

하면서 허허 크게 웃어 젖혔다.

역시 선생님들이라 다르구나. 나는 머리가 반쯤 벗겨진 인솔자에게 눈웃음을 보냈다.

한국에서 온 대개의 여행자들은, 특히 무슨무슨 동호회라는 이름을 달고 온 단체 여행자들은 내 얼굴을 빤히 쳐다보다가, 어설프게 웨얼 아유 프롬 하고 묻기가 일쑤였다. 그러다가 내가 한국 사람이라고 말하면 그때부터 저속한 웃음을 흘리며 농담부터 건네려 했다. 난 또 일본이나 중국 아가씬 줄 알았구만. 히히, 이것 보소. 역시 꿈자리가 째지게 좋으니께 아침 일찍부터 한국 아가씨 화장품 냄새를 맡는가벼. 가이다 아가씨, 우덜은 역사 공부나 할라고 여기 온 사람들이

아니니께 쓰잘데기없이 여기저기 안내하지 말고 확실하게 한 군데만 데려다줘. 거 있잖여, 돈 몇 푼 집어주면 화끈하게 라이브 쑈를 하는 디가 있다던데, 아예 거기부텀 가는 게 어떻겄는가. 그들은 입을 헤 벌리고 서로를 쳐다보며 음충맞게 낄낄거렸다. 그럴 때마다 나는 그들의 지저분한 입술을 향해 노골적으로 경멸의 시선을 보내며 이탈리아 말로 빠르게 쏘아댔다. 나는 아가씨도 아니고, 목구멍이 포도청만 아니라면 너한테 반말을 들을 만큼 그렇게 어리지도 않다, 이 놈아.

그런데 오늘 안내해야 하는 선생님들은 그런 저속한 위인들과는 첫 대면부터 달랐다. 선생님이라는 선입견 때문만은 아니었다. 하루 일정을 설명하는 나를 바라보는 얼굴들은 비록 부석부석하기는 했지만 눈빛만은 모두 진지했다.

"……저의 이런 마음이 선생님들의 여행에 조금이나마 도움이 된다면 더 바랄 것이 없겠습니다. 그리고 로마에서는 제가……."

말하는 중간중간 일행들을 훑어보았다, 그렇지만 선생님은 없었다. 아련한 세월의 저편에서 헤어졌던 선생님과의 극적인 해후를, 멜로드라마에서 보는 것처럼 서로 얼싸안고 눈물 흘리는 그런 장면을 나도 모르게 기대하고 있었기 때문일까.

선생님의 모습이 보이지 않자 야릇하게도 가슴 한구석이 무너진 듯 허전했다. 그러면 그렇지. 동명이인이었어. 하기는 여기서 선생님을 만나는 것은 기적이나 다름없지. 허전해진 가슴을 스스로 달래면서 밖으로 시선을 돌렸다. 마침 관광버스가 예정된 시각보다 조금 일찍 들어오고 있다.

“저기, 버스가 막 도착했네요. 여기는 지금부터 우기로 접어든 때라서 언제 비가 쏟아질지 몰라 우산을 챙겨야겠지만, 오전 코스는 바티칸 박물관이니까 우선은 관계없을 거예요.”

앞장서서 걸음을 옮기려는데 마침 뒤쪽에서 일행을 불러 세우는 다급한 목소리가 들려왔다.

“이 몹쓸 사람들아, 말도 안 통하는 곳에다가 덜렁 혼자 떼어놓고 갈 참인가?”

이 몹쓸 사람들아. 그만 등골이 선뜩했다. 선생님은 학생들이 말썽을 피우거나 어이가 없을 때면, 이 몹쓸 놈아, 라며 나이에 맞지 않게 걸걸한 목소리를 높이곤 하셨다. 학생들은 그런 목소리가 우스워서 애늙은이라고 불렀는데. 이 몹쓸 사람들아. 분명 선생님이다. 뒤를 돌아보았다. 아, 어쩌면 좋은가. 카메라를 어깨에 멘 반백의 선생님이 서둘러 오고 있지 않은가. 하여튼 어딜 가나 고문관은 하나씩 있다니까. 아니, 여태까지 뭘 하고 계셨어요. 젊은이들하고 다니시려면 한 템포 빨라야 된다고 했잖아요. 젊은 선생 하나가 익살스러운 어조로 일행을 웃겼다.

"장 선생님, 이분이 로마에서 우리를 안내할 분입니다."

멋쩍어하며 다가오는 선생님께 인솔자가 나를 소개했다. 가슴이 두근두근 뛰었다. 어머 선생님, 저예요. 저 현순이에요. 이렇게 말해야 하나. 아니면 저 현순인데 몰라보시겠어요. 하면서 반갑게 품으로 달려들어야 하나. 그만 엉거주춤하며 어색하게 고개만 숙였다.

"그래요? 이렇게 만나게 돼서 반갑습니다."

선생님이 손을 내밀다가 잠깐 눈을 끔벅이며 코끝을 찡긋했다. 무슨 말을 할 듯 입술을 달싹거린다. 고개를 갸우뚱하는 것처럼 보이기도 했다. 그러나 그걸로 끝이다. 선생님은 나를 몰라보았다. 반백의 머리칼이 눈에 한가득 들어왔다. 가슴이 뭉클했다.

버스 안에서 바티칸 박물관의 여러 가지를 설명하면서도 나는 선생님을 똑바로 바라보지 못했다.

"선생님들이 더 잘 아시겠지만, 바티칸은 교황을 중심으로 한 독립 국가입니다. 세계에서 가장 작은 나라이며 또 가장 부자 나라이기도 합니다. 하루 관광객이 5만 명 정도이고, 박물관만 관람하는 데에도 하루 이상이 소요되는……."

선생님은 옆에 앉은 사람과 차창 밖을 가리키며 얘기에 열중하고 있다.

"……시저가 남긴 유명한 말은 다들 알고 계시겠죠? 왔노라, 보았노라, 찍었노라. 하여튼 로마는 눈만 돌리면 어디든지 거기가 바로 포토 존이라서 좋아요."

일행 모두가 왔노라, 보았노라, 찍었노라를 따라 하며 유쾌하게 웃었다.

선생님은 일행들과 떨어져서, 정원을 가로질러 보이는 베드로 성당의 둥근 지붕을 사진기에 담고 계셨다. 시스티나 소성당 앞에서 미켈란젤로의 천지창조와 최후의 심판에 대한 설명을 필요 이상으로 길게 늘어놓았는데도 안으로 들어가기에는 차례가 밀려 기다려야만 했다. 입장을 기다리는 동안 일행들은 사진을 찍느라고 몰려다니며 야단스럽다. 하기는 장구한 세월에 걸쳐 웅장하고 사실적인 대리석 문화의 극치를 이루었던 이곳 로마에서 어디를 간들 사진 찍고 싶은 마음이 생기지 않겠는가.

나는 용기를 내어 선생님 뒤로 다가갔다.

"저어, 장인식 선생님 맞죠? 선생님이죠?"

선생님이 몸을 돌렸다.

"저 몰라보시겠어요? 현순이에요, 이현순."

"그래, 이름이 현순이었지? 아까 내가 잘못 본 것은 아니었군."

뜻밖에 선생님은 덤덤했다.

"알아보셨어요?"

나를 알아보고도 모른 척한 선생님이 야속해서 그랬는지 눈물이 찔끔 났다.

"어떻게 몰라보겠어. 교복을 입고 있는 자네 얼굴이 금방 겹쳐지더군. 그렇지만 너무 의외라서 알은체를 하려다가 망설였지. 긴가민가하기도 하고, 혹시 자네가 어떻게 변했는지 그 사정을 모르는데 무턱대고……."

왈칵 선생님의 품으로 파고들었다.

"선생님……."

더 이상 말이 나오지 않았다.

"많이 변했구나."

선생님이 가만히 내 어깨를 다독였다.

"많이 변했다고 하시면서 어떻게 나를 금방 알아보셨어요?"

"아무리 오랜 세월을 잊고 있어도 지워지지 않는 기억, 지워질 수 없는 사람이 있어. 자네를 보는 순간에, 아, 언젠가는 꼭 만날 사람이었지 하는 생각이 들었으니까."

선생님의 말 속에는 많은 뜻이 담겨 있었다. 희뿌연 안개가 앞을 가렸다. 그 안개는 지나간 세월이었다. 누구에게도 말하기 싫은 세월이었다. 가슴 답답해지는 짓눌림이었다. 그렇지만 어쩐지 선생님은 그런 나의 세월을 모두 짐작하시는 것만 같았다.

룸미러에 비친 선생님은 팔짱을 낀 채 눈을 감고 계셨다. 트레비 분수의 노천카페에서 마신 위스키가 하루 종일 관광에 시달린 선생님을 늘어지게 만들었나 보다.

"선생님, 아까 낮에 봤던 트레비 분수를 밤에 다시 보시니까 더 황홀하지 않으셨어요? 화려한 불빛을 받으며 떨어지는 물줄기를 보고 있으면 역시 로마는 분수의 도시이고 물의 도시라는 말이 실감나거든요."

신호가 바뀌기를 기다리면서, 천식 걸린 늙은이처럼 힘없이 갈그랑거리는 고물 엔진 소리가 언짢아서 일부러 수다를 떨었다. 그렇지만 눈을 감고 있는 선생님은 아무런 반응도 없다. 그만 머쓱해서 입을 다물었다.

풍요의 신 조각상에 달린 화가 잔뜩 난 거대한 남성의 그것을 바라보다가 서로 상대방의 아랫도리를 가리키며 낄낄거리는 일행들 속에서 선생님이 갑자기 물었다.

남편이 지금 여기 로마에서 작품 활동을 하고 있는가.

예상치 못했던 질문에 나는 현기증을 느끼며 겨우,

아녜요.

라고 들릴락말락 나지막하게 말했다. 아, 선생님은 나를 알아보는 그 순간에 나에 대한 모든 기억을 떠올리셨구나. 그 남자 얘기는 꺼내고 싶지 않았다. 그렇다고 지금까지의 내 생활을 거짓으로 변명하기도 싫었다. 하여튼 하루의 일정을 마치고 호텔로 돌아가는 버스 안에서 선생님을 따로 모시겠다고 인솔자에게 양해를 구했다.

발 디딜 틈 없이 북적거리는 트레비 분수 바로 곁의 노천카페에서 선생님은 위스키 한 잔을 급히 마시더니 얼른 한 잔을 더 주문했다. 나도 나른하게 지친 몸뚱이에 진한 알콜을 들어부었으면 좋겠다고 생각했지만, 운전 때문에 아이스크림 하나를 혓바닥으로 녹이고 있었다.

고생이 많았나 보구나.

선생님은 무덤덤한 어조로 말했다.

네.

나는 엉겁결에 고개를 끄덕였다.

자네를 금방 알아보기는 했는데 얼굴이 많이 변했더군.

그만큼 세월이 흘렀잖아요.

나는, 나이를 먹었으니까요, 라고 하지 않았고, 세월이 흘렀잖아요, 라고 말하기를 참 잘했다고 생각했다.

세월이 흐른 만큼, 그만큼 변했다는 뜻인가?

네, 그만큼 변했어요.

그때 졸업을 하지 못하고 학교를 그만두는 자네를 선생님들은 진정으로 많이 걱정했지. 어떤 선생은 자네를 만류하지 못한 나를 노골적으로 비난하기도 했으니까.

제발 그 이야기만은 꺼내지 않기를 바랐는데 선생님은 결국 말해 버렸다. 선생님의 간곡한 훈계를 외면하고, 어머니의 눈물 젖은 손목을 뿌리치고 발길을 돌리던 그날을 말해 버린 것이다. 선생님의 시선을 외면했다.

나는 고등학교 졸업반 가을에 덜컥 자퇴 원서를 냈다. 대학교 예비고사를 얼마 남기지 않은 때에 학교를 그만두겠다는 나의 당돌한 선언은 나를 알고 있는 모든 사람에게 커다란 충격이었다. 홀몸으로 외동딸만 바라보고 사시던 어머니는 암담한 충격을 견디지 못해 혼절하고 말았다. 선생님은 나를 상담실로 끌고 가서 으르기도 하고 달래기도 했다. 이 몹쓸 놈아, 네가 철이 없어서 그러는 거다. 나중에 어른이 되면 영락없이 후회할 거야. 너만 믿고 사시는 네 어머니를 생각해 봐라. 선생님의 만류는 간곡했다.

그렇지만 나는 눈 하나 깜짝하지 않았다. 팔뚝에다 링거 주사를 꽂고 힘없이 늘어져 있는 어머니를 보면서도 나는 나의 결정을 번복하지 않았다. 그때에는 오직 한 남자밖에 보이지 않았다. 나의 첫 남자였다. 정원이 넓은 집에 살면서 그림을 그리는 그 남자, 나를 위해서 살고 나를 위해서 그림을 그리겠다고 속삭이던 목소리가 부드러운 그 남자가 세상의 전부였다. 결국 나는 학교를 자퇴하고, 유학길에 오른 그 남자를 따라나섰다.

비난은 제가 받아야 했는데…….

나는 말끝을 얼버무리며 눈을 내리깔았다.

아니다. 누가 누구의 삶을 비난하겠니. 그때는 자네의 결정이 걱정스러웠지만, 이제는 다 지나간 일이잖은가.

그치만 후회는 안 해요.

불쑥, 후회라는 단어에 힘을 주었다. 그런데 말이 채 끝나기도 전에 나는 그만 진짜로 후회하고 있는 나의 볼썽사나운 꼴과 마주하게 되었다. 나의 우울했던 삶을 후회라는 한 단어에 묶어서 모두 말해 버렸으니 말이다.

그래야지, 그럼.

선생님은 모두 다 알고 있다는 듯이 가만히 고개를 끄덕였다.

사실은……, 처음에는 파리로 갔어요. 일 년 만에 여기 로마로 옮겼지만.

그 남자를 따라 파리로 갔던 사실부터 얘기를 시작하려고 했다.

그만두는 게 좋겠구나, 그때 일은.

얘기하겠어요.

자네가 어떻게 지내왔는지 궁금하기는 하지만 다 지나간 일이지 않은가.

기적처럼 만난 선생님께 모두 다 말해 버리고 싶은데요.

허허, 그러면 아이 얘기나 하지 그래. 얼추 서른은 가까이 되지 않았겠나, 그때 임신을 한 상태였다고 들었으니까…….

나의 쓰라린 생활을 짐작한 선생님은 일부러 상처를 건드리지 않으려고 무던히도 애쓰고 계셨다.

그럼요, 많이 컸죠. 여자 친구랑 살림도 차렸는걸요.

.나는, 여자 친구랑 결혼했는걸요, 가 아니라, 살림도 차렸는걸요, 라고 말하면서 기쁜 표정을 감추지 않았다. 아이는 내 유일한 기쁨이었으니까.

아이가 태어나기 전까지만 해도 그 남자의 편협한 성격은 드러나지 않았다. 매우 다정다감한 성격이었다. 맞닥뜨리는 모든 게 낯설기만 한 이국땅에서 나이 어린 내가 마음을 붙이지 못할까 걱정하며 세심한 배려를 아끼지 않았다. 그랬는데 아이가 생기면서부터 그 남자의 성격은 전혀 딴판이 되었다. 왜 그렇게 변했는지 지금도 이상하다.

그 남자는 아이를 전혀 달갑게 여기지 않았다. 못마땅한 마음을 감추지 않았다. 내가 아이의 엉덩이를 토닥거리고 있기라도 하면 갑자기 물감이 묻은 붓을 아무 데나 마구 집어던졌다. 아이의 볼에 입술을 대고 비비기라도 하면 그림 그리던 나이프로 캔버스를 갈기갈기 찢으며 괴성까지 질러댔다. 편협한 그 남자의 행동은 날이 갈수록 괴이해지고 점점 더 험악해졌다.

밤낮을 가리지 않고 술에 탐닉했고 돈이 생기는 대로 거리의 여자를 집으로 데리고 들어왔다. 그렇지만 나는 그 남자의 번득이는 눈빛이 무서워서 한 번도 대들지 못했다. 지저분한 뒷골목에서 주정뱅이 사내들을 유혹하는 싸구려 여자의 허리를 끌어안고 들어오는 그 남자를 바라보면서도, 나는 아이를 꼭 감싸 안은 채 덜덜 떨며 웅크리고 있어야만 했다. 정말로 고통스러웠다. 하루하루가 끔찍한 공포였다.

그렇게 공포 속에서 지내던 나는 마음을 독하게 먹고 그 남자에게 헤어지자고 요구했다. 입술에 게거품을 물고 주정을 하던 그가 내던진 붓이 아이의 이마에 정통으로 꽂히던 날이었다. 이마가 찢어진 아이는 자지러지게 울었고, 나는 아이의 이마를 허겁지겁 손바닥으로 눌러 지혈을 하며 앙칼지게 소리를 질렀다. 지겨워. 이제는 지겨워 죽겠어. 이렇게 사느니 내가 그냥 나갈게. 아니면 차라리 죽이든지 맘대로 해. 나는 눈에 불을 켜고 바락바락 대들었다.

그렇다면, 허허, 벌써 할머니가 된 건 아냐?

선생님은 무슨 신기한 것을 새로 발견한 아이처럼 천진스럽게 허허대며 웃었다.

놀리지 마세요. 이 나이에 …….

저절로 얼굴이 붉어졌다. 고등학교도 졸업하지 못한 나이에 남자를 알았고, 그래서 남들은 한창 대학엘 다니며 젊음을 만끽할 나이에 한 아이의 엄마가 되었던 나는 정말로 남들보다 훨씬 빠르게 할머니가 될 수가 있다는 사실은 미처 생각지도 못했다. 아하, 세월의 허망함이여.

미안하구나, 놀리려고 한 말은 아닌데.

선생님이 정색을 했다.

괜찮아요. 어엿하게 성인으로 자라서 제 몫을 하는 아이를 보면 마음이 넉넉하고 뿌듯하거든요.

그날 밤 이웃집 여자의 신고로 경찰이 와서 그 남자를 데려갔다. 나는 조금도 망설이지 않고 피 흘리는 아이를 안고 그대로 집을 나왔다. 파리에서 있을 때에 알고 지내던 사람이 로마에서 골동품 상점을 운영하고 있어서 그 사람의 도움을 받을 수 있었다. 한국인 2세가 운영하는 음식점이었는데 거기서 허드렛일을 하며 아이를 키웠다. 아이는 혼자서도 잘 컸다. 이탈리아 말이 유창해진 내가 관광회사에 첫 출근을 하던 바로 그날 아이도 컴퓨터 계통의 기술학교에 첫 등교를 했다. 그날 밤 나는 아이가 잠들어 있는 침대에 얼굴을 파묻고 창문이 부옇게 밝아 올 때까지 소리 죽여 울었다. 나에게 살아갈 힘을 준 고마운 아이였다.

그만 일어나야겠구나. 저런 걸 보면 아직도 눈살이 찌푸려지니, 아무래도 난 세계화 인간이 되기는 글렀는가 보다.

반쯤 남았던 위스키를 단번에 들이킨 선생님이 불편한 표정으로 고개를 돌리며 몸을 일으켰다. 바로 곁에서는 아직 애티도 가시지 않은 사내 녀석 둘이서 서로 부둥켜안고 애정 표현을 하느라 정신이 없다. 상체를 바짝 붙이고 들러붙어 있는 녀석들에게는 옆자리에 누가 있든 상관할 바가 아니다.

쟤네들 애정 표현은 장소를 가리지 않아요.

목덜미에 똑같은 문신을 한 앳된 게이 녀석들이 눈에 거슬렸지만, 선생님께는 대수롭지 않다는 투로 말했다.

그래도 그렇지…….

선생님은 여전히 불편한 표정을 짓고 있었다. 그래서 내가, 이제는 제가 어떻게 사는지 보러 가실 차롑니다, 하고 일부러 콧소리를 냈는데도 선생님은 여전했다.

신호는 바뀌었는데 앞에 있는 차들이 꼼짝을 안 한다. 도로 사정이 좋지 않은가 보다. 후둑후둑 빗방울이 하나둘씩 떨어져 차창을 때리더니 금방 쏴아 하고 굵은 빗줄기로 변해 내리꽂힌다. 우중충하고 지저분하던 하늘이 겨우겨우 참고 있다가 이제는 더 이상 참지 못하겠다는 듯 한꺼번에 쏟아붓는다. 앞차의 붉은색 미등이 흔들리며 앞으로 조금씩 움직이는 것을 따라 천천히 가속 페달을 밟았다.

소파 등받이에 몸을 기대고 앉은 선생님의 표정에는 피곤함이 역력했다.

"아직 시차 적응이 안 되셨나 봐요."

김이 모락모락 피어오르는 찻잔을 다탁에 내려놓았다.

"어젯밤에 푹 잤는데, 왜 내가 이상해 보이는가?"

"무척 피곤해 보이세요."

"그렇게 보여?"

"네, 좀 쉬셔야겠네요."

"아무래도 나이는 감출 수 없나 보구나. 어째 몸이 개운치 않으니……."

결국 선생님은 피곤함을 감추지 않았다.

"선생님 나이가 어때서요?"

"별로 한 일도 없이 어느새 정년이 되었으니 말이지. 이번 여행에 끼게 된 것도 정년퇴직을 앞뒀다고 교육청에서 무슨 유공자라는 이름을 붙여 준 덕분이거든."

"마음이 중요하지 그깟 정년이 뭔 대수예요."

"그렇긴 하지만 몸하고 마음이 따로 노니까 문제지, 허허."

문득 선생님의 얼굴로 세월의 그림자가 스쳐 지나간다.

"따끈한 커피에다 위스키 한 방울 타서 가져올까요? 피로를 푸는 데는 그만이거든요."

내가 화제를 바꾸려고 하자 선생님은,

"위스키는 아까 마신 걸로 충분해. 그런데 저 아이가 아들인가 보구나."

하며 벽에 걸린 사진틀로 눈길을 돌렸다. 컴퓨터 경시대회에 나갈 학교 대표로 뽑혔다고 강중강중 뛰며 좋아하던 아이를 꼭 끌어안고 찍은 빛바랜 사진이었다.

"네, 저 아이가 벌써 턱수염을 길게 길렀어요."

"어린 모습이 참 영리하게 생겼구나."

"그럼요. 얼마나 똑똑했던지 다른 아이들보다 훨씬 먼저 자격증을 땄는걸요. 그래서 취직도 일찍 됐구요."

내 목소리는 오랜만에 자랑으로 들떴다.

"말은 안 하지만……, 고생이 많았겠구나."

차를 한 모금 입술에 축이던 선생님이 지그시 나를 응시했다. 그런데 그만, 그만 내 가슴이 덜컥 내려앉았다. 선생님의 눈빛은 차마 마주볼 수 없게 부드럽고 온화했다. 이 몹쓸 놈아, 네가 철이 없어서 그러는 거다. 나중에 어른이 되면 영락없이 후회할 거다. 너만 믿고 사시는 네 어머니를 생각해 봐라. 학교를 자퇴하겠다는 나를 붙들어 앉히고 간곡하게 만류하며 달래던 바로 그때의 그 눈빛이었다.

"……."

나는 입술을 꼭 깨물었다. 더 이상 그 어떤 말도 목구멍을 넘어오지 않는다. 선생님은 제가 말을 하지 않아도 이미 알고 계시잖아요. 제 얼굴만 보고도 얼마나 허전하고 안타깝게 살아왔는지 짐작하셨잖아요. 그러니까 더 이상 아무 말도 하지 마세요. 지난 일은 벌써 세월 속에 묻혀 지나갔는걸요. 정말로 이제는 지긋지긋했던 그 세월을 다 잊었어요. 정말이에요. 많은 말들이 가슴속에서만 소용돌이쳤다.

딩동, 딩동딩동.

갑자기 울려 대는 초인종 소리에 나는 화들짝 놀라며 발딱 일어섰다. 지금 시간에 초인종을 울릴 사람은 빈센트밖에 없다. 내가 문을 열기만 하면 한껏 여유 있는 표정으로 빙글거리며 팔을 벌리고 달려들 녀석이다. 마누라는 늦게까지 모임이 있대. 모르지 뭐, 웬 놈팡이하고 시시덕거리다가 밤늦어서 들어올는지. 그는 먼저 자기 마누라가 외출 중이라고 말하고 내가 아무런 대꾸도 하지 않으면 헤헤거리며 급하게 옷을 벗어 던질 것이다. 하필이면 빈센트가 오늘 밤에 찾아올 게 무언가. 가슴이 두근거리면서 맥이 풀린다.

"누구……세요?"

문밖에 서 있는 사람이 누구인지 뻔히 알면서도 내 목소리는 떨렸다.

"누구긴, 나지. 이 시간에 찾아올 사람이 나 말고 또 있나?"

느물거리는 빈센트의 말투에 소름이 돋았다.

"오늘은 그냥 돌아가."

내가 단호하게 말했다.

"왜?"

"혼자 있고 싶어."

"어제도 안 된다고 쌀쌀맞게 굴더니, 도대체 왜 이래?"

빈센트가 언성을 높였다.

"어쨌든 오늘은 그냥 돌아가."

"그래도 그렇지, 비를 쫄딱 맞고 온 사람을 이렇게 문전박대할 수 있어? 문이라도 열어봐야 할 거 아냐?"

"가라니까, 글쎄."

소리를 팩 질렀다. 마누라가 집에 없을 때만 눈치 보면서 찾아오는 놈이 뭐가 잘났다고 떠들어, 하는 말은 차마 하지 못했다.

힐끔 선생님을 바라봤다. 빠르고 날카롭게 쏘아붙이는 이탈리아 말을 알아듣지 못하셨을 테지만 찻잔을 입술에 대고 있던 선생님은,

"시간이 꽤 됐구나."

하면서 난감한 표정을 감추지 않고 천천히 몸을 일으켰다. 나는 선생님의 난감한 표정을 보면서, 초인종 소리가 날 때부터 계속해서 어쩔 줄 모르고 허둥대고 있었다는 걸 깨달았다.

"저 사람, 회사 직원이에요. 오늘은 한국에서 오신 은사님이 계시니까 할 얘기가 있으면 내일 사무실에서 하자는 데

도 막무가내로 버티고 있네요. 신경 쓰지 마세요."

"아니야, 일행들이 기다릴 테니 오늘은 그만 호텔로 돌아가야지."

선생님은 기어이 현관으로 나섰다.

현관문이 열리자마자 와락 달려들던 빈센트가 선생님과 부딪치자, 엉겁결에 몸을 움츠리며 비켜섰다. 비에 젖어 후줄근한 빈센트의 초라한 꼴이 가관이다. 선생님은 빈센트를 일별하더니 그대로 천천히 계단을 내려간다. 나는 황급히 자동차 열쇠를 집어 들고 선생님을 뒤따르며 밉살스러운 빈센트를 향해 눈을 흘겼다.

로마의 우기는 늘 우중충하다. 굵은 빗줄기가 아프게 가슴을 때린다.

재수 없는 날

이파리 두 개짜리 사내가 픽 코웃음을 쳤다.

이거 웃기는 자식이네. 임마, 주인이 없으면 자전거가 어떻게 그 골목에 세워져 있어?

한심하다는 말투였다.

진짜예요. 진짜로 주인이 없는 줄 알았어요. 며칠 동안 내리 그 자리에 있었단 말예요.

오라, 그러니까 며칠 동안 그 자전거에 눈독을 들이고 있었단 말이지? 이 자식, 순전히 상습범이네.

아녜요. 딱 한 번…….

그러다가 나는 아차 했다. 방정맞은 입술을 그만 주먹으로

문대고 싶었다.

그래서 딱 한 번만 훔쳤단 얘기야?

이파리 두 개가 또다시 흥, 코웃음을 치며 빈정거렸다. 목소리가 날카롭게 변했다.

훔친 게 아니라니까요. 잠깐만 타 보고 다시 제자리에 갖다 놓으려고 했어요.

그러자 갑자기 이파리 두 개가 버럭 소리를 질렀다.

이 자식이 좋게 달래니까 뺀질뺀질 말대꾸만 하고 있어. 너 임마, 얼마나 혼이 나야 바른대로 말하겠어?

진짜예요.

나는 까짓거 될 대로 되라지 하는 심정으로 계속해서 우겨댔다.

임마, 너 같은 놈을 한두 번 겪는 줄 알아? 이마빼기에 피도 안 마른 자식이…….

이파리 두 개가 잔뜩 못마땅하다는 표정으로 나를 흘겨보고 나서 상철이 쪽으로 의자를 돌려 앉는다. 상철이는 고개를 푹 수그린 채 어깨를 잔뜩 움츠리고 있다.

아무래도 니가 사실대로 말해야겠다. 저 자식보다는 니가 훨씬 순진해 보인다. 바른대로 다 말하면 혼은 내지 않을 거니까.

상철이가 고개를 들었다. 녀석의 왕방울 눈에 겁이 가득해서 금방이라도 눈물이 주르륵 흘러내릴 것만 같다. 병신 같은 새끼, 따라오지 말랬더니. 나는 속으로 상철이를 욕했다. 따라오지 말고 그냥 오락실에서 기다리라고 했는데 부득부득 따라와서는 기어이 일을 망친 것이다.

오늘은 정말로 재수가 옴 붙은 날이다. 며칠 전부터 봐 두었던 자전거를 골목에서 몰래 끌고 나오기는 했지만, 뒤따라오던 상철이 새끼가 넘어지는 바람에 주인에게 뒷덜미를 잡히고 말았다. 21단짜리 기어를 갖춘 최신형의 날씬한 자전거라서 비싼 값을 뽑아낼 수 있었는데, 재수 없게도 자전거 주인의 억센 손아귀를 뿌리치지 못하고 파출소까지 끌려오고 말았다. 상철이 새끼만 넘어지지 않았어도 지금쯤 자전거 넘긴 돈을 주머니에 두둑이 넣고 느긋하게 오락실에 앉아 있을 터였다.

상철이는 겁먹은 왕방울 눈만 뒤룩뒤룩 굴릴 뿐 입을 열지 않았다. 그러자 이파리 두 개가 손가락 위에서 빙글빙글 돌리고 있던 볼펜을 홱 내던지며 몸을 벌떡 일으킨다.

이 자식들아, 누굴 놀리는 거야?

가늘게 째진 눈꼬리가 위로 치켜 올라간다. 그때 옆자리에서 회전의자를 빙글빙글 돌리고 있던 사내가 실실 웃으며 참견을 했다.

김 순경, 그만큼 했으면 내버려 둬. 저런 녀석들과 말씨름하고 나면 괜히 혈압만 올라간다구.

그의 어깨에도 이파리 두 개가 붙어있다. 검은 테 안경을 끼고 있어서 그런지 우리한테 신경질을 부리던 김 순경이라 불린 그 사내보다 나이가 더 들어 보인다.

중학교 다니는 애들 치고는 너무 닳아빠졌어요.

김 순경의 목소리가 조금 누그러졌다.

그나저나 저 녀석들 학교엔 연락했어?

검은 테 안경이 물었다.

아까 전화했어요.

그럼 됐어. 괜히 혈압 올리지 말고, 그 녀석들 저쪽 구석에 가서 있으라고 해. 저런 녀석들은 그저 학교에 인계하는 게 제일로 속이 편해.

그러더니 우리 쪽을 향해 목소리를 높인다.

이놈들아, 여기가 어딘 줄 알고 벌써부터 드나드는 거야? 오늘은 그냥 이쯤에서 학교에 인계할 테니까 다음엔 파출소 근처에 얼씬거리지도 마. 쬐끄만 놈들이 겁대가리 없이 파출소 출입이나 하고……. 저쪽 구석에 가서 쭈그리고 있어.

검은 테 안경이 소리치는 바람에 흠칫 놀라 움씰움씰 뒷

걸음치고 있는데 유리문 열리는 소리가 들렸다. 문 쪽으로 고개를 돌렸다. 그런데 이런 젠장맞을, 찐빵이 불룩 솟은 배를 내밀며 들어서고 있다. 아까 김 순경이 학교로 전화할 때 귀를 세우고 슬쩍 통화 내용을 엿들어서 이미 찐빵이 나타나리라고 예상은 했지만, 막상 유리문을 밀치고 들어오는 찐빵의 얼굴을 보니 기분이 확 잡쳤다. 배불뚝이 찐빵은 우리 담임의 별명이다. 낼모레면 해산할 산모처럼 불룩한 배를 쑥 내밀고 뒤뚱뒤뚱 걷는 모습이 그야말로 우스꽝스러웠다.

하지만 찐빵은 둥글둥글하게 생긴 그대로 마음도 둥글둥글했다. 성질이 까다롭지 않고 순했다. 진짜로 화가 나면 엄청나게 무섭기는 하지만 좀처럼 화를 내는 성격은 아니었다. 그래서 나처럼 고등학교 입학을 일찌감치 포기한 아이들 몇몇은 사고 칠 거리를 찾기 일쑤였다. 툭하면 상담실에 끌려가 무릎을 꿇고 반성문을 썼는데 그때마다 찐빵이 나타나서 상담 선생의 잔소리를 벗어나게 해 주었다. 상담 선생 앞에서는 자기가 단단히 혼내겠다고 소맷자락을 걷어붙이고 야단치는 척했으나 막상 교실로 데려와서는 어깨를 토닥이며 은근한 목소리로 타이르곤 했다.

찐빵이 우리를 타이르는 얘기는 대충 이랬다. 시간은 한 번 흘러가면 다시 되돌릴 수 없는 거다. 너희가 커서 어른이 된 뒤에 돌이켜 본다면 철없이 저질렀던 어리석은 일들을 틀림없이 후회할 거다. 그때는 후회해도 이미 소용이 없다. 그러니 후회 없는 삶을 살기 위해서는 지금 주어진 이 시간을 충실하게 활용해야 한다. 누가 고리타분한 선생 아니랄까 봐 찐빵은 녹음기를 재생하듯 언제나 똑같은 말을 되풀이했다. 우리는 그저 고개를 수그리고 잠자코 있기만 하면 그만이었다.

그렇지만 이번에는 결코 그렇게 호락호락 넘어갈 것 같지 않다. 찐빵은 우선 눈살을 찌푸리며 나와 상철이를 번갈아 바라보더니 검은 테 안경에게 허리를 굽혔다.

학교에서 왔습니다.

아, 그렇습니까? 저 녀석들 땜에 오셨군요. 이렇게 오시라고 해서 죄송합니다. 그렇지만 저희 입장은 또 다릅니다. 선생님한테 직접 인계해야 되거든요.

검은 테 안경이 너스레를 떨었다.

죄송합니다. 모두 제가 잘못 가르친 탓이죠.

아이구, 무슨 말씀을 그렇게 하십니까? 다 애들 나름이죠. 요즘 애들이 어디 선생님 말씀을 제대로 듣기나 하나요.

제까짓 게 얼마나 안다고 요즘 애들이 어쩌고저쩌고 떠벌리며 찐빵을 가르치려 드는 검은 테 안경이 밉살스러워서 고개를 돌렸다.

찐빵이 다시 굽실 허리를 굽힌다.

이젠 이 애들을 데려가도 되겠습니까?

이런, 괜히 담당도 아닌 제가 나섰네요. 이 녀석들 담당은 여기 있는 김 순경입니다.

검은 테 안경이 곁에 서 있는 김 순경을 가리켰다. 그러자 찐빵이 다시 김 순경에게 허리를 굽실거린다. 나는 연방 굽실거리는 찐빵을 보니 심사가 뒤틀렸다. 찐빵 선생님, 그만 둬요. 자전거를 훔친 건 나지 선생님이 아니잖아요. 선생님이 나이도 어린 순경들한테 허리를 굽실거리며 쩔쩔맬 필요가 어디 있어요. 뚱뚱한 배불뚝이가 굽실대는 건 정말로 꼴불견이란 말예요. 나는 욱 하고 소리를 지르고 싶어졌다.

여기다 도장이나 찍고 데려가십쇼.

이파리 두 개짜리 주제에 김 순경이 거드름을 피우며 손가락으로 서류를 쓱 밀었다. 찐빵은 서류를 받아 들고 꼼꼼하게 읽어보더니 엄지손가락에 인주를 듬뿍 묻혀 서류 위에 꾹 눌렀다.

이제 됐습니까?

"네, 됐습니다. 이제 데려가십쇼. 그리고 다시는 파출소 출입을 하지 않도록 지도나 잘해 주세요. 저런 놈들 때문에 골머리 썩는 생각을 하면…….

김 순경의 짜증 섞인 말이 채 끝나기도 전에 찐빵이 나와 상철이의 등을 떠밀었다.

어서 가자.

등을 떠밀려 나온 나는 푸 하고 한숨을 쉬며 하늘을 올려다봤다. 가을이 깊어지고 날씨가 차가워져서 그런지 하늘이 우중충하게 흐려 있다. 바람에 떨어진 플라타너스 이파리들이 굴러다니는 아스팔트 길도 을씨년스럽기만 하다. 상철이는 고개를 숙이고 발끝만 내려다보며 걷는다. 축 늘어진 어깨가 떨리고 있는 듯하다. 병신 같은 새끼, 이층 양옥집에서 곱게 자란 놈이 뭐 부러운 게 있다고 집을 뛰쳐나와서 고생이람.

바로 그때 이대로 찐빵에게 끌려가서는 안 된다는 생각이 불현듯 일어났다. 이대로 끌려갈 수는 없다. 까짓거 고등학교는 애당초 포기했다. 몇 번인지 손꼽기도 힘들 만큼 무단결석을 하며 찐빵의 속을 뒤집어 놨으니 흠씬 얻어맞아도 좋다. 같은 반 아이들의 비웃음 섞인 눈초리도 벌써 초월한 지 오래다. 그러나 내가 상철이와 함께 끌려가면 상철이 부모는 나를 가만두려 하지 않을 것이다. 상철이 부모는 내가 상철이를 꾀어냈다고 생각할 테니까 그게 큰일이다. 아무리 내가 꾀어낸 게 아니라고 우겨도 상철이 부모는 믿으려고 하지 않을 것이다. 상철이가 오락실까지 나를 찾아와서 같이 잠 좀 자게 해 달라고 졸랐다는 말을 해도 저 새끼 부모들은 절대로 믿지 않고 나에게만 욕을 퍼부을 것이다.

상철이가 오락실로 나를 찾아왔다. 어둑어둑 땅거미가 내려앉을 때였다. 배가 고파서 라면이라도 사 먹으려고 막 오락실 문을 밀치고 나서던 참이었다. 한쪽 어깨에 가방을 삐딱하게 걸친 상철이가 나를 보더니 어색한 웃음을 지으며 비실비실 다가왔다.

상철이, 니가 웬일이냐?

내가 이빨 틈새로 침을 찍 뱉어내며 물었다.

그냥 왔어.

상철이는 오락실 안을 기웃거렸다.

왜 그래, 누구 찾는 거야?

아니.

그런데 새꺄, 뭘 그렇게 두리번거려?

너, 저녁은 먹었냐?

상철이가 대답 대신 은근하게 물었다.

지금 먹으려고 나가는 건데, 왜?

그럼 잘됐다. 나랑 같이 가자. 내가 살게.

나는 살다 보니 별일도 다 있구나 싶어서 냉큼 오락실 옆 건물의 분식집으로 상철이를 끌고 갔다.

라면에다 고춧가루를 듬뿍 쳐서 뜨거운 국물까지 후후 불어가며 다 먹어 치울 때까지도 상철이는 말이 없었다. 무슨 말인가를 할 듯 할 듯 하면서 입술을 씰룩거리기만 할 뿐이었다. 불안해하는 기색이 역력했다.

무슨 일 있냐?

내가 손바닥으로 입술을 쓱쓱 문지르며 물었다.

부탁이 하나 있는데…….

비로소 상철이가 입을 떼었다.

뭔데?

오늘 밤 니네 집에서 나 좀 재워 줄래?

왜?

사실은 집을 나왔어.

이런 병신, 니네 집은 부자잖아. 그런데 뭣 땜에 집을 뛰쳐나오냐?

부자는 아냐.

새꺄, 이층 양옥집에 살면 그게 부자지.

나는 그의 집을 안다. 이층으로 된 커다란 양옥집이다. 정원에 심은 대추나무 가지가 담 밖으로까지 뻗어 나온 넓은 집이다.

사실 나 오늘 학교에도 가지 않았어. 집엔 들어가지 않을 거야.

상철이의 말이 얼마나 단호했던지 나는 깜짝 놀랐다.

왜 그래?

집이 싫어서.

니네 엄마 아빠 싸웠냐?

아니.

형하고 싸웠냐?

형은 없어.

그럼 누나가 못살게 들볶냐?

누나도 없어.

이것도 저것도 아니면 도대체 뭐야, 새꺄.

상철이가 다시 입을 꾹 다물었다.

새꺄, 부잣집 외아들이면 대학까지 넉넉히 다닐 수 있는데 뭐가 걱정이라서 가출을 한다고 그래?

나는 속이 뒤틀렸다. 아무 걱정할 것 없는 좋은 환경이면서도 집을 뛰쳐나온 그 새끼가 아니꼬웠다. 그래서 말끝마다 새꺄 새꺄 하고 욕을 내뱉었는데도 상철이는 끈질기게 매달렸다. 하룻밤만이라도 재워 달라는 것이었다. 나는 네까짓 놈이 며칠이나 견디겠냐, 아마 하룻밤만 비좁은 우리 방에서 꼭 끼어 자고 나면 일어나자마자 집으로 달려갈 거다 하는 생각으로 그를 받아주기로 했다. 그런데 상철이는 아직까지 집에 들어가지 않고 내 뒤만 졸졸 따라다니는 것이다.

나는 생각을 굳혔다. 이대로 끌려갈 수는 없다. 이대로 끌려가서 상철이 부모한테 애매하게 욕을 먹을 필요는 없다. 튀어야 한다. 앞장서서 뒤뚱뒤뚱 걷는 찐빵의 눈치를 살피며 상철이의 옆구리를 쿡 찔렀다.

너 이대로 끌려갈 거야?

찐빵이 들을까 걱정하며 귓속말로 소곤거렸는데 상철이가 무슨 말을 하느냐는 듯 왕방울 눈을 뒤룩거렸다.

그냥 끌려가서 얻어터질 거냐구?

그럼 어떡해?

난 튈 거야. 너는?

붙잡히면?

붙잡히진 않아. 저기 언덕배기로 튀면 찐빵이 따라오지 못해.

나는 길 건너 언덕배기에 다닥다닥 붙어있는 판잣집들을 턱으로 가리켰다. 언덕 꼭대기에 우뚝 버티고 있는 전문대학 건물의 축대 아래로 슬레이트 지붕을 얹은 초라한 판잣집들이 낮은 처마를 맞대고 붙어있었다. 고향을 등지고 올라온 사람들이 구청 직원의 단속을 피해 허술하게 얽어 지은 집들이었으므로 반듯한 길을 내지를 못했다. 집이 새로 들어설 때마다 골목이 하나 더 꼬부라지는 꼴이 되었다. 그래서 언덕 꼭대기까지 올라가는 골목길은 이리저리 꼬이고 비틀렸다. 그러나 아무리 이리 꼬이고 저리 비틀린 좁은 골목이지만 나는 눈을 감고도 뛰어다닐 수가 있다. 우리 집이 바로 저 중간쯤에 있기 때문이다.

나도 튈래.

횡단보도의 녹색 불이 켜지기를 기다리면서 상철이가 겨우 들릴락 말락 가만한 소리로 속삭였다.

넌 그냥 가는 게 좋을 텐데.

아냐, 가기 싫어.

정말?

그래, 정말이야.

알았어. 그럼 횡단보도를 건너자마자 튀는 거야.

응.

넌 저기 약국 옆 골목으로 해서 막 뛰어가. 나는 그 반대쪽으로 달릴 테니까.

응.

그리고 한참 동안 골목을 빼빼 돌다가 오락실에서 만나. 거긴 찐빵이 몰라.

신호등이 녹색 불로 바뀌자 찐빵이 뒤돌아보며 손짓을 했다.

빨리 와, 이 녀석들아. 뭘 잘했다고 수군거려?

나는 상철이에게 눈을 찡긋 해 보였다. 내가 먼저 뛰면 너도 뛰는 거야. 알았어. 우리는 서로 눈짓을 주고받았다.

이윽고 횡단보도를 다 건너서 보도블록에 발을 딛는 순간 나는 이때다 싶어서 상철이의 어깨를 툭 치고 몸을 돌려 왼쪽 골목을 향해 냅다 뛰었다. 뛰어가면서 힐끗 돌아보니 약국 옆 골목으로 꺾어 들어가는 상철이와 그 뒤를 뒤뚱거리며 쫓아가는 찐빵의 뒷모습이 보였다. 찐빵이 나를 쫓아왔더라면 꼬불꼬불한 골목을 요리조리 돌아서 쉽게 따돌릴 수 있었을 텐데, 상철이를 쫓아가는 바람에 조금 걱정이 되었다. 하지만 아무리 골목길이 낯설어도 뒤뚱거리는 배불뚝이 찐빵에게는 쉽사리 붙잡히지 않을 거라고 생각하며 마음을 놓았다. 세 번째 골목을 꺾어 들어가면서부터 달리는 속도를 늦추었다. 긴장된 탓인지 이까짓 달음박질에도 숨이 할딱할딱 턱에 차오른다.

전문대학 건물 축대 아래까지 뛰어 올라간 나는 집에 잠깐 들렀다 갈까 하다가 그만두기로 했다. 집에 들어가지 않은 지가 벌써 한 주일이 되었다. 그러니까 상철이를 집에 데리고 가서 하룻밤을 재워 준 다음 날 아침 함께 나왔으니까 할머니를 못 본 지도 한 주일이 되는 셈이다.

할머니는 분명히 한숨을 푹푹 내쉬고 있을 것이다. 내가 불쑥 방으로 들어서면 한숨을 쉬고 있던 할머니는 금세 눈물을 뚝뚝 흘릴 것이다. 꺼칠한 손등으로 눈물을 찍어내며 연방 불쌍한 내 새끼, 불쌍한 내 새끼 하면서 덥석 안아 줄 것이다. 할머니는 나와 동생을 안아 줄 때마다 불쌍한 내 새끼를 수도 없이 되풀이했으니까.

그런 할머니를 보는 건 싫다. 다른 애들 할머니처럼 경로당에도 나가고 이웃집에도 놀러 다니는 그런 할머니가 좋다. 그렇지만 우리 할머니는 매일 벽을 보고 한숨만 내쉬며 지낸다. 아버지의 술주정 때문에 한숨을 쉬고, 내가 학교에는 가지 않고 집을 나와 돌아다니는 바람에 한숨을 쉬고, 돈을 내놓으라며 억지를 쓰는 철없는 동생 때문에 한숨을 쉬고, 그렇게 한숨을 쉬면서 눈물을 흘린다. 나는 그런 할머니가 불쌍해서 싫다.

어쩌면 아버지가 술 냄새를 풀풀 풍기면서 방바닥에 뒹굴고 있을지도 모른다. 아버지는 생각나면 마지못해 집 짓는 공사판에 나가 막일을 했지만, 한 달이면 거의 반도 넘게 술독에 빠져 지내는 위인이다. 주변머리가 없을뿐더러 도무지 생활에 대한 의욕이 없는 술주정뱅이다. 집에서는 밥이 끓는지 죽이 끓는지 관심이 없고, 내가 집을 나와 며칠씩 거리를 쏠며 방황을 해도 아예 거들떠보지도 않는다. 오로지 머릿속에는 술뿐이다.

공사장에서 받은 돈 몇 푼이 주머니에 들어가면 그 돈이 다 떨어질 때까지 술독에 빠졌다가 나온다. 그래서 나는 아버지라고 부르지 않는다. 그 위인의 눈에는 할머니도 자식새끼도 보이지 않는다. 오로지 술독에 정신이 팔려서 눈곱 낀 얼굴로 비틀거리며 골목을 휘젓고 다녔다. 그러니까 엄마가 지긋지긋한 집을 나간 건 당연하다고 나는 생각했다.

엄마가 집을 나간 지가 벌써 3년째이다. 식당에서 궂은일을 도맡아 하며 우리를 키우던 엄마는 매일 같이 아버지한테 두들겨 맞았다. 어떤 때는 술값을 내놓지 않았다고 맞았고 어떤 때는 늦게 들어왔다고 맞았다. 엄마에게 주먹질을 할 때면 아버지의 충혈된 눈은 이미 사람의 것이 아니었다. 입에 게거품을 물고 고래고래 소리지르며 주먹을 휘두르는 아버지의 바짓가랑이를 동생과 나는 엉엉 울면서 붙들고 늘어졌다. 그러나 아버지의 손찌검은 그칠 줄 몰랐다. 엄마의 눈두덩은 언제나 시퍼렇게 멍이 들어 있었다. 자식들 때문에 죽지도 못하고 산다던 엄마는 끝내 매질을 견디지 못하고 집을 나가고 말았다.

엄마가 집을 나갔는데도 아버지란 위인은 전혀 변하지 않았다. 술주정은 날이 갈수록 더 심해졌다. 엄마가 없으니까 나한테까지 손찌검을 했다. 내가 맞는 것은 그래도 견딜 만했다. 그러나 동생이 두들겨 맞는 것을 본 순간 그것만은 참을 수가 없었다.

학교에서 돌아와 책가방을 내던지는데 방 안에서 꺼억꺼억 숨이 막히게 울어대는 동생의 울음소리가 들려왔다. 나는 눈시울이 뜨끈해져서 입술을 꾹 깨물며 방문을 와락 열어젖혔다. 동생은 무릎을 가슴에 붙이고 몸을 잔뜩 웅크린 채 아버지한테 주먹질을 당하고 있었다. 아버지의 주먹은 머리통이고 등허리고 가리지 않고 마구 떨어졌다. 새파랗게 질려서 꼼짝도 못하고 주먹이 내리꽂힐 때마다 고통으로 비명을 지르며 울어대는 동생의 모습을 보자 눈에 불이 확 켜졌다. 자식에게 그토록 무자비한 주먹질을 하는 위인은 아버지일 수가 없었다. 나는 아버지의 주먹을 낚아챘다.

그만해요.

아버지가 충혈된 눈을 치뜨며 나를 꼬나봤다.

넌 또 뭐야?

아버지가 내 머리통을 향해 주먹을 휘둘렀다. 나는 얼른 몸을 굽혀 그 주먹을 피했다. 그러면서 억울하다고 생각했다. 도대체 아버지란 작자가 자식들한테 뭘 해 줬다고 이렇게 두들겨 패는가. 왜 밤낮 자식들에게 몹쓸 짓만 하는가.

니들은 다 웬수 같은 새끼들이야.

그 소리에 나는 앞이 캄캄해졌다. 눈앞에 아무것도 뵈는 게 없었다. 아무리 그래도 자식들을 원수 같다고 하다니. 순간 나는 머리통으로 아버지의 얼굴을 냅다 들이받았다. 어이쿠 하며 벌렁 나가떨어지는 소리가 들렸지만, 나는 뒤도 돌아보지 않고 방구석에서 벌벌 떨며 웅크리고 있는 동생의 손목을 끌고 방을 뛰쳐나왔다. 그날 나는 전문대학 축대 아래에서 동생을 꼭 껴안고 실컷 울었다. 동생은 엄마를 찾으며 울었다.

집에 들르지 않겠다고 작정한 나는 오락실로 곧장 가기로 했다. 찐빵한테 붙들리지만 않았다면 상철이가 오락실에서 나를 기다리고 있을 것이다. 오락실은 나같이 마땅히 갈 곳이 없는 아이들에게는 참 좋은 곳이다. 도무지 뭐라 하는 사람이 없다. 아이들이 북적대는 시끄러운 속에 앉아 있으면 땅이 꺼져라 한숨을 내쉬는 할머니의 쭈글쭈글한 얼굴이, 역겨운 술 냄새를 풍기는 아버지란 작자의 지저분한 얼굴이, 그리고 눈물자국이 구질구질하게 말라붙은 동생의 불쌍한 얼굴이 생각나지 않는다. 그래서 오락실이 좋다.

오락실에는 예상대로 상철이가 먼저 와서 기다리고 있었다. 내가 들어서자 새끼가 싱글싱글 웃으며 다가왔다.

일찍 왔네?

내가 따라서 웃어 주자 상철이는 어깨를 으쓱했다.

간단하지, 뭐.

찐빵이 어디까지 따라왔냐?

몰라. 한참을 뛰다가 돌아보니까 안 보이더라.

짜식.

나는 오락실 한편 구석에 놓인 낡은 의자로 다가가 털썩 주저앉았다. 상철이는 계속 싱글거리며 웃고 서 있다. 병신 같은 새끼, 이럴 때 그냥 못 이기는 척하고 찐빵을 따라갔더라면 좋았을 텐데. 나는 또 상철이를 속으로 욕했다. 이런 기회에 담임을 따라갔더라면 이층 양옥집으로 자연스럽게 돌아갈 수 있었을 텐데, 아무래도 나사가 하나쯤 풀린 놈만 같다.

상철이 넌 왜 집에 안 들어가냐?

내가 심드렁하게 물었다.

엄마가 간섭하는 게 싫어서.

상철이의 대답은 나를 화나게 했다.

새꺄, 집에서 편하게 먹고 지내는 게 좋지…….

엄마 없는 나를 비웃는 거냐, 라고 말하려다가 꾹 눌러 참았다. 그 소리를 하면 내가 비참해질 거 같았다. 짜증이 났다. 심통이 났다. 들어갈 번듯한 집도 있고 잔소리해 주는 엄마도 있는 새끼가 왜 집을 뛰쳐나와서 빌빌대고 있는지 이해가 되지 않는다. 아니꼬워서 상대를 하고 싶지 않다.

배고프지?

머쓱한 기분이 들었는지 상철이가 내 발을 툭 차며 물었다.

응.

고개를 끄덕였다. 정말 배가 고팠다. 자전거 때문에 아침도 먹지 못했으니까.

라면 먹으러 가자.

싫어.

왜?

이 웃기는 새꺄, 돈이 있어야 라면을 먹든지 짜장면을 먹든지 할 거 아냐?

나는 냅다 소리를 질렀다. 그러자 이상하게 뱃속에서 꼬르륵 소리가 났다.

어떡해, 그럼?

상철이의 얼굴은 걱정으로 가득 찼다.

그러니까 넌 지금이라도 집으로 들어가란 말이야.

집은 싫어.

그렇다면 할 수 없지.

나는 입을 다물었다. 더 이상 말을 해 봤자 입만 아플 것이다. 또다시 꼬르륵 소리가 나서 눈을 감았다. 할머니의 쭈글쭈글한 얼굴이 다가온다. 왜 이 순간에 할머니가 나타나는가. 고개를 절레절레 흔들었다. 참 웃기는 할머니다.

힐끔힐끔하며 내 눈치를 살피던 상철이가 슬그머니 몸을 돌렸다.

어디 가?

그냥……

상철이가 말끝을 얼버무리고 휑하니 자리를 떴다. 새끼, 배가 고프니까 엄마 생각이 나나 보지. 그래, 가서 니 엄마 젖이나 실컷 먹어라. 기분이 찜찜했다. 나도 엄마가 있으면 집으로 들어갈 텐데. 아무리 술주정하는 그 인간이 미워도 엄마가 있으면 집으로 들어갔을 것이다.

엄마가 집을 나간 지 이틀 뒤에 나는 동생을 데리고 식당을 기웃거렸다. 엄마는 그때까지 식당에 있었다. 주방에서 그릇가지들을 헹구고 있던 엄마는 우리를 보자마자 앞치마에 손을 문지르며 달려 나왔다. 엄마는 우리 둘을 한꺼번에 끌어안으며 눈물부터 주르륵 흘렸다. 눈물을 흘리는 엄마의 왼쪽 뺨과 눈두덩이엔 시퍼런 멍자국이 선명했다. 동생도 엄마를 따라서 울었다. 그렇지만 나는 울지 않았다. 이빨을 꽉 깨물고 눈물을 참았다.

니들은 그 짐승 같은 사람하고 살면 안돼. 이 엄마랑 함께 살아야 사람 구실을 할 수 있어.

엄마의 울음 섞인 목소리를 들으면서도 나는 이빨만 꽉 깨물고 있었다. 식당을 돌아서는데 엄마가 황급히 앞치마 주머니에서 꾸깃꾸깃한 지폐 몇 장을 동생 손에 쥐여 주었다. 그리고 내게 말했다.

동생 잘 봐주고 공부 열심히 하고 있어라. 엄마가 자리 잡히면 니들 데리러 꼭 올 테니까.

나는 고개를 끄덕이다가 그만 눈물을 흘리고 말았다. 얼른 동생의 손목을 잡아끌고 버스 정류장 쪽으로 재빨리 뛰었다.

그런데 그 식당에 다시 갔을 때는 엄마는 거기에 없었다. 식당 주인도 엄마가 어디로 갔는지 모른다고 했다. 자리가 잡히면 데리러 오겠다던 엄마는 그렇게 아무런 연락도 없이 우리 형제로부터 멀리 떨어져 나갔다. 나는 엄마를 원망하지 않았다. 이제는 동생도 엄마를 자주 찾지 않는다.

의자에 앉은 채 끄덕끄덕 졸고 있던 나는 어깨를 건들거리며 나타난 상철이를 보고 퍼뜩 정신을 차렸다. 그런데 참 어처구니가 없다. 상철이 뒤에서 팔짱을 끼고 해해거리며 웃고 있는 놈은 병일이가 아닌가. 병일이도 나와 같은 반이다. 우연히 길거리에서 만날 때마다 먹을 것을 사 준다며 내 동생도 녀석을 좋아했다.

어, 어떻게 된 거냐?

우선 병일이에게 물었다.

학교를 나오는데 상철이가 골목에 숨어 있다가 나를 부르더라.

그 말에 나는 씩 웃었다.

점심도 굶었다며?

병일이도 히죽 웃었다.

점심이 다 뭐냐? 아침부터 꼬박 굶었다.

그럼 나가자,

병일이가 어깨를 툭 치며 일어나라는 시늉을 했다.

돈 있냐?

걱정 마, 두둑하니까.

나는 꼬르륵 소리가 나는 배를 채우게 됐다는 생각에 입을 크게 벌리며 기분 좋게 웃었다.

라면을 먹으면서 병일이는 연신 떠벌렸다.

오늘 찐빵이 교실에서 길길이 뛴 생각을 하면……. 하하, 코미디도 그런 코미디가 없더라.

어땠는데?

글쎄, 다리를 절뚝거리면서 들어오더니 얼굴이 붉으락푸르락하는 거야. 그러면서 니네들을 당장 짤라 버린다고 길길이 뛰는데 어찌나 웃겼는지 몰라.

다리를 절뚝거려?

대접째로 들고 후루룩 소리를 내며 라면 국물을 마시던 상철이가 특유의 왕방울 눈을 뒤룩거리며 물었다.

더 너 때문이야, 임마.

내가 왜?

찐빵이 너를 쫓다가 넘어졌대.

우리는 서로를 쳐다보며 깔깔 웃었다. 그러나 병일이의 얘기는 더 듣고 싶지 않았다. 그까짓 학교는 퇴학을 당해도 괜찮다고 일찌감치 생각하고 있었으니까.

학교 얘긴 그만하자.

내가 서둘러서 먼저 일어났다.

근데 니들 잠은 어디서 자냐?

급하게 라면값을 치르고 뒤따라 나오던 병일이가 나하고 상철이를 번갈아 보며 물었다.

요 아래 내려가면 아파트 공사장이 있어.

나는 건성으로 대꾸하며 병일이의 팔을 잡아끌었다.

저녁 시간이라 그런지 오락실은 이미 만원이다. 발붙일 틈도 없다. 물론 우리가 차지할 오락기도 없다. 우리는 아쉬워서 입을 쩝쩝 다셨다. 고개를 쭉 빼고 두리번거리며 빈자리가 나기를 기다렸다. 그러나 쉽게 자리가 날 것 같지는 않다. 병일이는 너무 늦으면 엄마한테 잔소리 듣는다며 상철이 주머니에 돈을 찔러주고는 쌩하니 나가 버렸다. 참, 저 새끼도 엄마가 있지. 나는 그만 울적한 기분에 휩싸였다.

오락실을 나왔을 때는 열한 시가 조금 넘었다, 상철이가 늘어지게 하품을 했다. 나는 말없이 아파트 공사장으로 발길을 옮겼다. 시장에서 한 정류장을 걸어가면 두어 달 전부터 고층 아파트를 짓는 공사장이 있다, 우리는 콘크리트 기둥만 세워져 있는 아파트 건물의 지하 한쪽 구석을 건축용 합판으로 교묘하게 막아서 잠자리를 마련해 두었다. 경비하는 사람들에게 들키지 않으려고 늦은 밤에 몰래 숨어 들어갔다가 새벽 일찍 빠져나왔다.

깜깜한 지하 계단을 더듬더듬하며 앞서가던 상철이가 멈칫했다.

왜 그래?

나는 소리를 죽이며 물었다.

아무래도 이상해.

뭐가?

들어가는 구멍이 각목으로 막혔어.

진짜?

조심스럽게 팔을 뻗어 보았다. 굵은 철사로 얼기설기 엮은 거친 각목들이 손에 닿는다. 들켰구나. 맥이 탁 풀렸다. 우리의 잠자리를 경비하는 사람들이 눈치챈 모양이다.

어떡하지?

어둠 속에서 상철이가 혼잣말로 중얼거렸다.

나는 정말 재수가 없는 날이라고 생각했다. 저절로 신경질이 뻗쳤다. 열나게 재수 없네. 나는 계단을 되돌아 나오면서 카악 가래침을 뱉었다.

건너편 주택가에서 눈부시게 환한 불빛이 쏟아진다. 지금 저기에서는 가족들이 함께 즐거운 시간을 보내고 있겠지. 텔레비전을 보는 집도 있을 거고, 유치원 다니는 꼬맹이의 재롱에 흐뭇한 웃음이 넘치는 집도 있을 거다. 그런데 나는 어디로 가야 하나.

그때였다.

형.

등 뒤에서 나를 부르는 소리가 들렸다. 나는 깜짝 놀랐다. 보나마나 동생이다. 병일이 새끼가 기어이 동생한테 내가 있는 곳을 알려준 모양이다.

형, 집에 가자. 엄마가 왔어.

그런데 엄마의 젖은 목소리가 뒤를 따랐다.

그래, 이제 그만 집으로 가자.

눈물이 핑 돌았다. 건너편 주택가의 환한 불빛이 이제는 하나도 눈에 보이지 않는다.

강바람 저편

복잡한 시내를 벗어나 도로가 한산해지자 차는 속력을 내기 시작했다. 오후의 힘겨운 햇빛을 반사하며 굼실거리는 강물은 도도하기만 하다. 강을 끼고 돌아가는 차창 밖으로 수면에 반사된 햇살이 물고기의 비늘처럼 반짝거린다.

나는 형수의 얼굴을 힐끗 곁눈질했다. 운전대를 두 손으로 꽉 움켜쥔 채 입을 다물고 있던 그녀가 나의 시선을 의식했는지 고개를 돌린다. 입가에 보일락 말락 희미한 미소를 머금고 있다. 오똑하게 솟은 콧날이 참 차갑다. 그래, 나는 이 여자에게서 언제나 찬바람을 느꼈어. 나뿐만 아니라 우리 식구들 모두 이 여자를 보면 찬바람이 생각났지. 으스스 몸을 움츠러들게 하는 매몰찬 겨울바람처럼 이 여자의 얼굴에는 늘 냉랭함이 가득했어.

강가에 늘어선 가로수들이 휙휙 뒤로 달아난다. 이파리가 하나도 붙어있지 않은 앙상한 나뭇가지들이 우쭐거리며 춤을 춘다. 바람이 사납게 불어올 모양이다. 운전대를 잡고 똑바로 앞만 주시하고 있는 형수의 입은 좀처럼 열릴 것 같지 않다. 병원을 나서면서부터 형수와 나는 한마디 얘기도 나누지 않았다. 줄곧 침묵이었다. 나는 어둠처럼 음울한 침묵을 견디지 못하고 크음 헛기침을 했다.

형수가 빙긋 웃었다. 그런데 그 웃음이 얼음처럼 차갑게만 느껴진다. 이 여자에게서 차갑다는 느낌을 지워야 한다고 생각했다. 형의 부부가 신혼여행에서 돌아온 날 이 여자에게서 느꼈던 그 냉랭함이 지워야 한다고 생각했다. 그렇지만 아무리 애를 써도 내 머릿속에서는 그날 부모님을 대하던 형수의 차가움이 영 지워지지 않는다.

다시는 이런 시골구석에 올 마음이 들지 않아요. 자주 오지 못하더라도 너무 섭섭하게 생각지 마세요. 이런 외진 곳에서 고생하지 마시고 차라리 어른들께서 이사를 나오시면 어떨까 해요. 생활비는 넉넉하게 드릴 테니까 걱정하지 마시고요.

큰절을 올리고 앉은 형수는 미리 준비하고 온 원고를 읽기라도 하듯 또박또박 끊어서 말했다. 마치 여사무원이 업무 보고를 하는 것 같은 자세였다. 날카로운 인상만큼이나 영악했다. 어머니 아버지라 부르지 않고 어른들이라는 호칭을 썼다. 시골구석이라는 단어도 일부러 골라서 썼는지 모르겠다. 아버지는 불뚝하고 일어나는 편치 못한 심사를 감추며 잠자코 고개를 외로 꼬았다. 아버지의 눈치를 슬슬 살피던 어머니는 도망치듯 부리나케 부엌으로 나갔다. 무표정한 형수의 입에서 나오는 싸늘한 목소리를 듣는 순간 내 몸에서는 오싹 소름이 돋았다.

"아무래도 어색한가 봐요?"

형수가 다시 고개를 돌리며 말했다.

"그게 아니라……."

답답해서 그러는 겁니다, 라고 말을 하려다가 입을 다물었다. 어차피 답답하기는 마찬가지일 테니까.

"그게 아니라면 답답한 모양이군요."

나는 소리 내어 웃었다.

"하하, 영락없이 들켰군요. 지금 막 답답하다고 말하려다가 그만두었는데, 그러고 보니 형수님도 답답하신가 보죠?"

"그래요, 답답해요. 병원에서부터 마음이 무거웠거든요. 그나저나 그 형수라는 말, 참 오랜만에 듣네요."

"만난 지가 너무 오래돼서 그렇군요. 죄송합니다, 사람 노릇을 제대로 못해서."

"그런 말을 듣자고 한 건 아닌데……."

형수가 말을 얼버무리더니 운전에 열중했다.

당신보다는 형을 만나러 자주 갔어야 하는 건데 그러지 못해서 죄송하다는 뜻입니다. 형 혼자 병실에서 외롭게 하루하루를 보낸다고 생각하면 매일이라도 찾아가고 싶었어요. 간병인이 있다고는 하지만 그 사람이야 어디 가족만큼 따뜻하게 마음을 다해 보살펴 주겠어요. 그렇지만 형이 생각날 때마다 마음 편히 찾아가지는 못했죠. 형을 찾아가는 우리 가족을 당신이 별로 반기지 않았으니까요.

그랬다. 형수는 우리 식구들이 형을 만나러 찾아가는 걸 별로 좋아하지 않았다. 가족들이 우르르 몰려오면 좋아지던 환자의 상태가 오히려 악화된다는 이유에서였다. 퀭한 눈을 멀뚱멀뚱 뜨고 천장만 올려다보고 있는 형을 붙들고 눈물을 흘리는 어머니를 향해 형수는 단호하게 말했다.

권위 있는 전문의가 돌보고 있으니 아무 걱정 안 하셔도 돼요. 지금 상태로는 안정을 취하도록 하는 게 제일 중요하다니까 무슨 큰일이라도 난 것처럼 식구들대로 찾아오고 그러지 마세요. 다 제가 알아서 할 테니까요.

며느리에게서 뜻하지 않은 면박을 당한 어머니는 그날로 시골집으로 내려갔고, 사람을 알아보지 못하고 히죽거리기만 하는 큰아들을 생각하며 한숨으로 날을 보냈다. 그동안 나와 아내도 두 번밖에 병원에 다녀오지 못했다. 물론 형수가 자리에 없는 틈을 타서 찾아갔는데, 형은 두 번 다 나를 알아보지 못했다. 전혀 차도가 없는 듯 보였다.

어젯밤 잠자리에서 형수의 전화를 받았다. 안부도 묻지 않고 다짜고짜 병원으로 와 달라는 거였다.

내일 낮에 병원으로 좀 오세요. 형님이 자꾸만 찾네요.

가슴이 덜컥했다. 자꾸만 불길한 생각이 들었다. 형이 나를 찾는다는 말을 좋은 쪽으로 생각하고 싶었다. 병세가 호전되는 기미를 보인다는 말로 받아들이고 싶었다. 그렇지만 까닭 모를 불안감이 밤새도록 가슴을 내리눌렀다. 아내도 안절부절 어쩔 줄 몰라 했다. 무슨 말인가 하려다가 내 눈치만 살폈다.

걱정하지 마. 괜찮을 거야.

나는 눈치를 살피는 아내를 향해 웃어 주었다. 아내를 안심시킨다기보다 내 속에서 일어나는 불길한 생각을 떨쳐버리기 위해서였다.

병실 문을 열고 들어갔을 때 형은 침대에 걸터앉아 창밖을 멍하니 내려다보고 있었다. 침대 옆에서 사과를 깎던 형수가 조용히 일어났다. 나는 가볍게 목례만 하고 형에게로 다가갔다. 내 기척을 느꼈는지 형이 코를 한 번 찡긋하더니 히죽 웃었다. 멍한 눈은 여전히 창밖을 보고 있었다. 얼굴에 살이 좀 붙은 것 같았지만 눈은 퀭한 그대로였다.

저길 봐라.

형이 손가락으로 창밖을 가리켰다. 그 손가락을 따라 눈길을 돌렸다. 말라붙은 잔디 위로 겨울 햇살이 내리쬐고 있을 뿐 창밖 풍경은 을씨년스럽기만 했다.

웬 사람들이 저렇게 많이 몰려 있을까? 저 사람들이 손에 들고 있는 건 뭐지?

그러면서 껄껄 웃었다. 참으로 무기력하고 공허한 웃음이었다.

나는 공허한 형의 웃음소리를 견디지 못하고 형수를 바라봤다. 눈을 마주친 형수가 고개를 돌리며 외면했다. 형이 무언가 알아듣지 못할 말을 중얼거리더니 또 한 번 공허하게 껄껄 웃었다.

무슨 말을 하는 거야, 형?

나를 알아보지 못하는 형이 안타까워서 형의 어깨를 가만히 짚으며 나지막하게 입속말로 웅얼거렸다.

나야, 형. 나 모르겠어?

형은 그저 히죽거리기만 했다.

"나가서 얘기하죠."

그때까지 우리 형제를 외면하고 있던 형수가 일어났다. 나는 파란 핏줄이 드러나 보이는 형의 손등에서 눈길을 거두고 형수를 따라 일어섰다.

복도 끝에 놓인 소파에 앉았다. 휠체어를 타고 있던 환자 하나가 힐끔 쳐다보더니 자리를 비켜 주며 병실로 들어갔다. 어느 병실에선가 우우우 하는 괴성이 들려왔다. 소름을 돋게 하는, 괴로움이 잔뜩 담긴 괴성이었다.

"올 때마다 듣는 소리예요, 저 소리는."

형수가 혼잣말처럼 말했다.

"무척 괴로워하는 소리군요."

"환자보다는 정작 저 소리를 날마다 들어야 하는 가족들의 괴로움이 더 클 거예요."

형수는 여전히 혼잣말하듯 말했는데, 나는 그 말의 뜻을 어떻게 받아들여야 할지 몰라서 찜찜한 마음으로 구두코만 내려다봤다. 복도 바닥의 지워지지 않은 흑갈색 얼룩이 발끝에 밟혔다. 눈에 거슬렸다. 구두코로 박박 문질러 닦았다.

"참, 커피 한 잔 마셔요."

갑자기 생각난 듯 형수가 일어나서 구석 자리에 있는 자판기에 동전을 집어넣었다. 커피는 그저 짐짐하기만 했다.

"요즘은 정신이 자주 돌아와요."

짐짐한 커피를 홀짝이고 있을 때 형수가 어렵게 입을 열었다. 나는 아무런 대꾸를 하지 않고 커피가 반쯤 들어 있는 종이컵만 응시한 채 형수에게서 나올 다음 말을 기다렸다.

"어제는 가족들 걱정을 많이 하더라구요. 그래서 전화한 거예요."

"경과가 좋아졌나 보네요?"

"그런 셈이죠."

그런데 오늘은 왜 나를 알아보지 못하는 거죠. 경과는 좋아졌다고 하면서 왜 우리 가족의 문병을 껄끄러워하는 겁니까. 가족들을 만나면 혹시라도 경과가 더 좋아질지 모르잖습니까. 목구멍까지 차오르는 말을 꿀꺽 삼켰다. 누구도 시원한 대답을 해 주지 못한다는 것을 뻔히 알면서도 그런 말을 한다면 가뜩이나 아픈 형수의 가슴을 대꼬챙이로 쿡 찔러대는 것과 무엇이 다르겠는가. 어찌 됐든 형의 정신병을 치료하기 위해 일 년이 넘도록 고생하고 있는 형수에게 그렇게까지 노골적으로 힐난하는 것이 온당한 처사인가. 나는 형수에 대한 도리가 아니라고 생각했다. 그래서 피식 싱겁게 웃으며 말머리를 돌렸다.

“형이 무슨 생각을 하고 있을까요? 횡설수설하는 형의 말뜻을 의사들은 알아듣나요?”

“글쎄, 알아듣는지 어떤지 모르겠어요. 의사들이 속시원하게 말해 주는 것도 아니고…….”

형수가 시큰둥하게 대꾸했다.

“병자들이 한 마디씩 내뱉는 말에서 잠재된 의식을 찾아내고 그걸로 병의 단서를 알아내는 거 아닙니까?”

“처음에는 저도 무슨 뜻으로 저런 말을 하는 걸까 곰곰 생각해 보기도 했어요. 그러다가 포기하고 말았죠. 의사들도 어려워하는 잠재의식을 내가 알아낸다는 건 언감생심 꿈도 꾸지 못할 일이었으니까요. 의사들은 그냥 병세가 호전되고 있으니 믿고 맡기라는 말만 반복하고 있어요.”

“그럴 테죠. 자기들 전문 영역이라고…….”

나는 말끝을 흐리며 빈 종이컵을 구겨 쥐었다. 그때 형수가 천천히 일어나더니,

“바람이라도 쐬러 함께 교외로 나가지 않을래요?”

하며 조심스럽게 물었다. 형수는 바람을 쐬자고 했지만,

사실은 뭔가 얘기를 하려고 작심을 한 듯 보였다. 그래야 한다고 생각했다. 아무리 냉랭한 성격이지만 이제는 지칠 때도 되지 않았는가. 이제는 지친 마음을 털어놓을 때도 되지 않았는가. 정해 놓은 기한도 없이 정신병자의 뒷바라지를 하고 있으니 정작 할 말이 왜 없겠는가. 그동안 지치고 힘든 마음을 푸념하든, 아니면 형에 대한 원망의 말을 하든 다 들어줘야 한다고 생각했다.

"좋습니다. 그런데 형님은……?"

"이제 간병인 올 시간이 됐어요. 병실을 대충 정리하고 나가면 돼요."

형수는 병실로 들어가서 능숙한 손놀림으로 침대보를 깔끔하게 정돈했다.

잠깐만 나갔다 올게요. 조금 있으면 아줌마가 올 거예요. 당신은 그 아줌마만 오면 마음이 푸근해진다고 했잖아요.

형수는 침대보를 정돈하면서 그때까지도 멍하니 창밖만 내다보고 있는 형을 향해 살갑게 속삭였다.

형은 여전히 무표정했다. 그런데 내가 형의 어깨를 툭툭 건드리며 작별의 말을 했을 때 뜻밖에도 퀭한 형의 눈이 반짝 빛났다.

그래, 잘 가라. 며칠 있다가 또 오려무나.

그만 가슴이 마구 뛰었다.

날 알아보겠어, 형?

나는 너무 반가워서 소리쳤는데 형의 눈은 다시 퀭한 상태로 돌아가고 말았다.

누가 왔다 가면 늘 그래요.

형수가 씁쓸하게 웃었고, 하얀 석고상처럼 딱딱하게 굳어 있는 형은 쓸쓸하게 혼자 남았다.

햇빛을 받아 은빛으로 반짝이는 평화로운 강을 가로지르는 기다란 다리를 멀리 바라보며 차는 속력을 더 냈다. 나는 차창을 내렸다. 휙 하고 찬바람이 날카롭게 들어왔지만 차라리 시원하다. 형수는 역시 입을 굳게 다물고 있다.

"하실 말씀이 많죠?"

잠자코 있기가 너무 거북해서 먼저 말을 꺼냈다.

"그렇게 보여요?"

중앙선을 넘어 달려드는 트럭을 급하게 피하며 형수가 되물었다.

"솔직하게 말하면 그렇습니다."

"그냥 바람이나 쐬자고 했잖아요."

"얘기도 할 겸이라는 말을 생략하신 거 아닙니까?"

"그럼, 무슨 얘기를 할 거라고 생각했어요?"

"당연히 형에 대한 얘길 테죠."

"당연히요? 우리 사이에 결국 그 얘기밖에 할 것이 없다는 말씀이군요. 가족끼리 나누는 얘기로는 어쩐지 삭막하지 않은가요?"

형수가 시니컬한 표정이 되었다. 그렇군요. 삭막한 얘기군요. 그러나 당신이 언제 우리를 한 가족이라고 여겼나요. 늘 남이었잖아요. 혹시 시골에 계신 부모님께 생활비를 보내 드릴 때 가족이라는 생각을 잠깐 했을지는 몰라도 다른 때는 왕래도 없이 대화도 없이 늘 남처럼 지냈잖아요. 나는 그녀의 입에서 가족이라는 말을 듣는 것이 어색해서 미안하지만 속으로 비웃었다. 사실 그녀는 우리를 가족이라는 테두리에서 생각하지 않았다. 부모님께 매달 드리는 생활비도 시골까지 찾아가 내놓지 않고 통장에 입금했다. 신혼여행에서 돌아온 날 약조한 의무를 이행한다는 태도였다. 내 결혼식에도 바쁘다는 이유로 나타나지 않은 형수가 우리를 가족이라는 범주 안에 넣는다는 걸 어찌 생각이나 할 수 있겠는가.

형이 결혼한 그 이듬해에 나도 아내를 맞았다. 그런데 읍내에 있는 결혼식장에 형이 혼자 나타나서 내 손을 잡아 흔들며 어쩔 수 없게 됐다는 말만 되풀이했다.

니 형수는 어쩔 수 없이 오지 못하게 됐다. 니가 이해해라. 회사 월말 정리가 엄청나게 바빠서 조금도 자리를 뜨지 못한다는구나.

나는 형을 향해 빙긋이 웃어 주었다. 그럴 줄 알았어, 형수가 언제 우리 일에 관심을 가졌다구, 하는 말은 마음속에 묻었다.

젊은 사람이라면 누구나 선망하는 서울에 있는 대기업의 입사 시험에 형이 여봐란듯이 합격했을 때 마을 사람들은 당연히 그러려니 생각들을 했다. 읍소재지의 작은 종합고등학교가 개교한 이래 우리나라에서 제일가는 국립대학에 입학한 학생은 형뿐이었기 때문이다. 명석한 두뇌를 가진 형은 남에게 지기 싫어하는 유별난 오기까지 가지고 있었다. 그래서 공부는 물론이고 자신이 얻고자 하는 목표가 있으면 죽자사자 덤벼들었다. 대학에서는 늘 우수한 학점을 유지했고, 또 친구들 사이에서는 그 특유의 오기를 바탕으로 우상처럼 군림했다.

그런 형이 어느 날 집에 내려왔다가 내가 듣기에 무척 우스운 소리를 했다.

나 교회에 나가기로 작정했다. 서울에서 제일로 치는 큰 교회래.

형은 교회에 나가기로 했다는 말을 점심때 짜장면을 먹기로 했다는 말보다 더 쉽게 했다. 그 말을 들으며 나는 배꼽을 쥐었다. 교회에 다니는 아이들을 향해 픽픽 비웃던 형이기 때문이었다. 형은 눈에 보이지도 않는 하나님을 어떻게 믿느냐고 주장하는 당돌한 아이였다. 매년 크리스마스가 오면 마을의 아이들은 눈깔사탕이나 과자를 얻어먹는 재미로 캄캄한 산길을 넘어 교회 창문을 기웃거렸는데, 그럴 때도 형은 집에 남아 그 아이들을 비웃고 있었다. 교회에 몰려다니며 아까운 시간을 허비하느니 차라리 따뜻한 아랫목에서 배 깔고 공부하는 게 더 유익하다는 어른 같은 말도 서슴지 않고 했다.

왜 인제는 하나님이 눈에 보여? 어떻게 교회엘 다 나가겠다고 작정했어, 형?

계속해서 터져 나오는 웃음을 억지로 참으며 내가 물었는데, 형은 정색을 하며 내 어깨를 툭 쳤다.

얌마, 하나님이 보여서 나가려는 게 아냐. 내가 꼭 붙잡아야 할 여자가 그 교회에 다니고 있거든. 그래서 시간을 내기로 했다.

형은 하나님을 믿기로 했다고 말하는 대신 시간을 내기로 했다고 말했다. 목적을 위해서 교회를 이용하려는 생각을 숨기지 않았다.

형은 자기가 한 말대로 교회에 나갔다. 그것도 그냥 건성건성 나가는 게 아니라 아주 열성적이었다. 보통의 믿음으로는 도저히 상상도 할 수 없을 만큼 열을 올리며 모든 예배에 꼬박꼬박 참석했다. 깜짝 놀랄 변신이었다. 그 변신의 목적을 뻔히 알고 있는 나도 놀라 자빠질 정도였다. 물론 나는 형의 그런 변신에 대해 주저하지 않고 경멸의 눈초리를 보냈다. 철저히 계산적이고 속물적인 행동을 이해하고 싶지 않았기 때문이다. 어쨌든 형은 자신의 목적을 달성했다. 꼭 붙잡아야 할 여자라고 했던 그 여자를 기어이 붙잡았다. 지금의 형수다.

형이 결혼한 이후부터 우리 집과 형의 관계는 변질이 되었다. 결혼 전에는 틈만 나면 형은 고생으로 찌든 부모님을 찾아 위로의 말을 건네곤 했는데, 결혼하고 나서는 회사일이 바쁘다는 이유로 집을 찾는 발길이 줄어들었다. 어쩔 수 없이 집에 와야 하는 경우에도 아침나절에 형수가 운전하는 고급 승용차를 타고 나타나서 돈 봉투를 어머니 치마폭에 슬그머니 내놓고 떠나기가 일쑤였다. 어머니가 준비한 점심상은 거들떠보지도 않았다.

나는 형을 대놓고 비난했다.

이렇게 가뭄에 콩 나듯 얼굴이나 삐죽 내밀고 그 잘난 돈뭉치나 불쑥 내밀면 효도하는 거라고 착각하지 마, 형. 그까짓 돈이라면 나도 드리고 있어. 학교 선생의 빠듯한 봉급에서 떼어 드리는 거라 비록 풍족하지는 않지만, 부모님은 그 정도에도 만족하고 계셔. 부모님이 형에게 가졌던 기대를 생각해 봐. 우리 식구들이 바라는 게 뭔지 형은 뻔히 알잖아.

나는 곁에 있는 형수가 들으라는 뜻으로 면전에서 형을 다그치듯 비난했다. 그러나 형수는 쓰다 달단 말 한마디 없이 입가에 냉정한 웃음만 띠고 앉아 있을 뿐이었다. 오히려 어색해진 분위기에 당황한 어머니가 말을 막으며 나를 나무랐다.

니 형이 바쁘니께 그런 건데 시방 무신 소릴 하는겨? 핵교 선생으루 있으면서두 그렇게 철이 없냐?

어머니가, 잠자코 벽에 걸린 사진 액자에 눈길을 주고 있는 아버지의 눈치를 살피며 이렇게 나무라면 나는 입을 다물어야 했다. 그런 식으로 형과 우리 가족 사이의 담은 조금씩 높아만 갔다.

"요즘은 학년말 방학이라 한가하겠어요?"

다리를 건너는 초입에서 형수가 물었다.

"웬걸요? 학년말은 더 바쁩니다."

오늘 교감은 학년말 정리로 바쁜 거 뻔히 알면서 무슨 조퇴를 하느냐고 뒤통수에다 대고 노골적으로 얼굴을 찌푸리며 구시렁거렸다.

"그래도 선생님들은 방학이 있어서 좋을 거예요."

"그렇지도 않아요. 그나저나 형수님 하시는 일은 잘 되는 거죠."

그녀는 형과 결혼하기 전부터 의상디자인 계통의 일을 하고 있었다.

"신통치는 않아도 그럭저럭 견뎌요."

"그럭저럭이 아닌 것 같던데요."

"무슨 말이에요?"

"의상 발표회가 아주 성공적이었다는 기사를 읽었어요."

"아, 그때 그 기사 말씀이네요? 그건 아는 기자가 그냥 추켜세운 거뿐이에요."

"아는 사람이라고 아무 근거도 없이 추켜세우나요?"

"나한테는 힘에 부치는 일인데 너무 오래 붙들고 있다는 생각이 들어요. 오래 하다 보니, 치고 올라오는 요즘 젊은이들 감각을 당할 수도 없고, 아직은 아버지의 도움을 받는 입장이라서요. 공부를 좀더 해야겠다는 생각도 들고……."

형수가 말끝을 흐리며 차를 세웠다. 민물고기 매운탕을 전문으로 파는 음식점들이 늘어서 있는 강가의 낚시터였다.

"그이가 자주 오던 곳이에요."

차를 세우자마자 그녀가 급하게 운전석의 문을 열었다.

강바닥에서 매운바람이 치밀어 올라오며 얼굴을 할퀴고 지나간다. 몸이 저절로 움츠러들었다. 아직은 몸을 움츠러들게 하는 매운바람이지만 그 속에 봄의 냄새가 묻어있으리라. 이제 얼마 있지 않아서 봄이 성큼 달려들 거라는 생각을 하며 주위를 휘둘러보았다. 그러나 주위의 사물은 겨울잠에서 깨어날 기미가 보이지 않는다. 강둑의 말라붙은 빛바랜 풀잎들도 그렇고 앙상한 가지만 축 늘어뜨리고 엉거주춤 서 있는 버드나무들도 그렇고 뵈는 것이 모두 을씨년스럽기만 하다. 강둑의 경사면에는 낚싯대를 드리우고 팔짱을 낀 채 웅크리고 있는 낚시꾼들이 듬성듬성 보였다.

형수는 어느새 저만큼 앞서가고 있다. 코트 주머니에 두 손을 찌르고 고개를 수그린 채 걷고 있는 뒷모습이 왠지 허전해 보인다.

"이렇게 추운 날씨에도 낚시를 하는 사람들이 있네요."

그녀가 걸음을 멈추고 뒤를 돌아보며 말했다.

"고기를 꼭 잡아야겠다는 생각은 아닐 겁니다."

"그렇다면 무슨 생각으로 저렇게들 앉아 있을까요?"

"글쎄요, 강태공의 취미를 이해하지 못해서……."

"그이는 틈만 나면 낚시 도구를 챙겨서 여기에 왔어요. 나도 몇 번 따라온 적은 있지만 무슨 재민지 알지 못했죠."

"형이 낚시를 즐긴 건 재미라기보다 나름대로 휴식을 취하는 방편이었던 게지요."

"휴식의 방편? 난 그렇게 생각하지 않았어요. 집을 벗어나려는 구실이었죠. 회사일에 치여서 밤을 꼴딱 새우고 들어오는 날이 많아서 늘 피곤하다고 하면서도 쉬는 날이면 어김없이 낚시를 구실로 집을 나갔어요. 남들에게는 회사일에 충실한 평범한 가장이라고 보였겠지만 사실은 나와 얼굴 마주치는 걸 피한 거예요."

조용하던 형수의 말씨가 점점 격렬해지며 얼굴빛이 창백하게 변했다. 자존심을 억누르는 표정이 역력했다. 냉정하고 자존심 강한 그녀가 원만하지 못한 가정생활을 제삼자에게 말하는 것이 왜 슬프지 않겠는가.

"저도 형이 입원하기 전에 같이 한 번 왔었습니다."

"뭐라고 하던가요, 그때는?"

"별다른 얘기는 서로 없었습니다. 그저 낚시 얘기를 주로 했으니까요."

나는 대수롭지 않다는 투로 대답하고 말았다. 괜히 형이 한 말을 고스란히 까발려서 가뜩이나 허전해 보이는 형수의 심기를 건드리고 싶지 않았다. 그렇지만 형이 털어놓은 말은 심각한 것이었다.

그날 형을 따라 강둑에다 낚싯대를 걸쳐놓은 나는 한나절이 지나도록 입질조차 없는 찌를 한심스럽게 바라보며 입이 찢어져라 하품을 했다. 하품 끝에 찔끔 나온 눈물을 손등으로 닦아내는데 형이 갑자기 껄껄거렸다.

겨우 한나절인데 하품이 나오냐?

나는 형을 바라보며 계면쩍게 웃었다.

낚시를 하려면 우선 참을성이 있어야 해. 이제부턴 나를 따라다니며 참을성을 배우도록 해라. 학교에서는 네가 선생이지만 낚시만큼은 내가 선생이다.

형이 자신만만하게 말했다.

원래 난 어렸을 때부터 참을성이 젬병이었잖우.

내가 피식 웃으며 대꾸했다.

그러니까 낚시를 배우라는 거지. 참을성을 기르는 데는 낚시질만큼 좋은 것도 없다.

형이 손바닥을 펴서 내 등을 툭 쳤다.

그러면 형은 지금 참을성 땜에 낚시를 하는 거야?

내 말에 불현듯 형의 얼굴에 그늘이 졌다.

솔직히 말하면 지쳐서 그런다. 회사일도 지치고 집에도 지쳤다. 머리 좋고 유능한 네 형수는 내게 신경을 쓸 여유가 없다고 그러니 집에 틀어박혀 있기도 짜증나고…….

말을 하다 말고 형이 한숨을 내쉬며 입을 다물었다. 얼굴이 딱딱하게 굳어졌다.

그즈음부터였는지 아니면 훨씬 더 그 전부터였는지는 몰라도 형의 정신 상태가 조금씩 허물어지며 미쳐가고 있었다. 그렇지만 아무도 그것을 눈치채지 못하고 지냈다. 낚시터에서 형과 헤어지고 몇 달 후에 신경쇠약으로 병원에 자주 다닌다는 형의 전화를 받았는데, 그 몇 달 후에는 정신착란 증세가 있어 병원에 입원했다는 형수의 전화를 받았다.

"저기 들어가서 매운탕이라도 먹죠?"

내 대답은 기다리지도 않고 형수가 앞장섰다. 민물매운탕 전문이라고 쓴 낡은 간판이 눈에 들어왔다.

음식점은 손님이 하나도 없어서 썰렁했다. 홀의 한가운데에 커다란 연탄난로가 있기는 했지만 불기라곤 전혀 없다. 그래도 그 난로 옆으로 자리를 정했다.

나는 손바닥을 비비며 창밖을 내다보았다. 가끔 버드나무 잔가지가 강바람에 건듯 흔들렸다. 형수는 끈질기게 입을 다물고 있다.

"매운탕이 아주 먹음직하게 잘 나오네요."

내 말에 문득 형수의 입가에 어색한 미소가 떠올랐다가 금세 사라졌다.

"말씀하시죠. 무슨 얘기든 듣겠습니다."

나는 답답함을 참지 못하고 얘기를 재촉했다.

"하기는 해야겠는데 차마 입이 떨어지지 않네요."

형수의 입꼬리가 살짝 떨렸다.

"무슨 말씀이든 괜찮습니다. 형이 저를 찾은 건 아니라고 생각했으니까요."

"네, 그래요. 꼭 해야 할 말이 있었던 거예요."

"아까 차에서 형수님이 한 말씀을 생각하고 있습니다."

"무슨……?"

"공부를 더 했으면 좋겠다는 그 말씀 말입니다."

"그럼 얘기하기가 쉽겠네요. 유학을 결정했거든요. 어렵게 입학 허가가 떨어진 이 기회를 놓칠 순 없어서요."

잠깐 말이 끊겼다. 나는 잠자코 매운탕이 졸아붙고 있는 냄비만 바라보고 있을 뿐이다.

"그래서 부탁하려는 거예요. 다녀오는 동안 그이를 좀 맡아 주세요. 냉정하다고 할지 모르지만 이 말을 꺼내려고 얼마나 망설였는지 몰라요."

형수의 얼굴이 점점 해쓱해졌다. 그렇다. 형수도 이젠 지친 거다. 그런 결정을 한 어려운 마음을 이해해야지 어쩌겠는가. 나는 고개를 돌려 그녀의 눈을 피했다.

밖에는 어느새 땅거미가 내려앉기 시작했다. 낚시꾼 한 사람이 드르륵 문을 열었다. 낚시꾼과 함께 차가운 강바람이 따라 들어왔다. 이제 강바람 저편에 있던 어둠이 밀물처럼 밀어닥칠 것이다.

그래, 잘 가라. 며칠 있다가 또 오려무나.

그러나 형은 나를 알아본 게 아니었다.

누가 왔다 가면 늘 그래요.

형수의 그 말은 절망이었다.

어둠 같은 형의 모습이 눈앞에서 어른거린다. 초점 잃은 퀭한 눈으로 창밖을 내려다보고 있는 형의 모습은 어둠보다 더 진한 절망에 싸여있다.

형.

나는 강바람 저편에서 밀어닥칠 어둠이 싫어서 형을 부르며 눈을 감았다.

말하는 고슴도치

어젯밤에 작은아버지가 돌아가셨다는 전화를 받았을 때 번개가 치듯 번쩍 하고 머릿속을 스치고 간 것은 고슴도치였다. 다리는 짧고 주둥이는 돼지 모양인데 등 전체에 밤빛과 흰빛의 바늘털이 빽빽하게 덮여 있고, 적을 만나면 밤송이처럼 웅크려 방어하는 야행성 동물 고슴도치. 평소에도, 그렇다고 그리 잦은 편은 아니었지만, 작은아버지의 꾀죄죄한 모습이 기억될 때면 으레 그 고슴도치가 그림자처럼 희미한 모습으로 기어 나오곤 했었다.

아버지가 돌아가실 때까지도, 속마음은 진심이 아니었을 거라고 믿지만, 그토록 잊고 싶다고 했던 작은아버지였기에 나도 그 영향 때문인지 의도적으로 작은아버지의 생각을 멀리하고 지내왔다. 그러다 보니 자연히 고슴도치도 나의 기억 속에서 희미하게 퇴화되었는데, 한밤중 들려온 부음으로 인하여 그 고슴도치의 희미했던 흔적이 또렷한 모습으로 되살아난 것이다.

추레한 모습과 가시가 잔뜩 돋친 두 마리의 고슴도치로밖에 기억되지 않는 작은아버지는 평생을 웅크리고 살았다고 해도 지나친 말은 아니다. 백과사전에 따르면 고슴도치는 적을 만나야 밤송이처럼 몸을 웅크려 방어하는 동물이라고 했는데, 그렇다면 평생을 웅크리고 산 작은아버지의 삶은 어떻게 해석해야 할까. 세상 사람들 모두를 적으로 여기며 살았을까. 아니다. 내가 알고 있는 피상적인 바에 의하면 그것은 아니다. 작은아버지는 세상 사람들을 적으로 여기며 살았다기보다 오히려 세상 사람들에 대한 피해의식에 사로잡혀 웅크리고 살았다는 해석이 맞을 것이다.

어쨌든 나는 작은아버지의 부음을 들으면서 사과 궤짝에 갇혀 꼼지락거리는 두 마리의 고슴도치를 떠올렸고, 아침에 회사로 전화를 걸어 결근하게 됐음을 알릴 때에는 바늘털을 세운 고슴도치가 따갑게 찔러대는 것만 같아서 몸을 자꾸 움찔거렸다. 솔직하게 말해서 작은아버지의 죽음을 크게 애통하는 마음으로 받아들이지는 않았다. 그저 작은아버지도 남들처럼 기어이 생을 마감하셨구나 하는 정도로 덤덤했다. 그러나 부음과 동시에 번개가 치듯 스치고 간 고슴도치, 등 전체에 밤빛과 흰빛의 바늘털이 빽빽하게 덮여 있는 고슴도치는 계속 잔상으로 남아 있다.

아이들 때문에 함께 가지 못해서 어쩌느냐고 하는 아내를 향해 허허 헛웃음을 치며 출발했는데, 차는 어느덧 북한강을 끼고 도는 굽은 도로로 접어들었다. 후우 심호흡을 한 번 크게 내뱉으며 천천히 핸들을 왼쪽으로 꺾었다. 초라한 보따리 하나를 옆구리에 낀 작은아버지와 함께 덜컹거리는 고물 버스를 타고 꼬불꼬불 돌아가던 까마득한 그날이 떠올랐다.

중학교 졸업을 앞두고 괜히 길거리를 쏘다니던 한겨울이었다. 저녁나절에 아버지와 대판 싸움을 벌인 작은아버지는 다음 날 아침에 입을 굳게 다물고 작은 보따리 하나만 달랑 옆구리에 낀 채 대문을 나섰다. 언젠가 봐 둔 산골 마을이 있는데, 거기 가서 살기로 작정했다는 말이 전부였다. 나는 영문을 몰라 어리둥절했다. 그저 딱딱하게 굳어 있는 어른들의 얼굴만 바라보며 멀뚱하게 서 있었다. 그때 아버지의 눈치를 보고 있던 어머니가 구겨진 종이돈을 내 바지 주머니에 찔러 넣으며 따라갔다 오라는 눈짓을 하는 바람에 속도 없이 히히거리며 작은아버지의 손에서 보따리를 받아들었다. 아버지도 작은아버지도 내게 그만두라는 말은 하지 않았다.

작은아버지는 버스가 출발할 때부터 줄곧 의자에 몸을 파묻고 눈을 감은 채 요지부동의 자세로 앉아 있었다. 버스가 시내를 벗어나서 지루하게 한참을 달리다가 어느 시골 장터에서 섰다. 차부에서 버스를 기다리고 있던 사람들이 우르르 몰려들어 이미 만원이 된 버스에 올라타려고 밀고 당기고 아무리 왁자지껄 시끄러워도 작은아버지의 자세는 흐트러지지 않았다.

북한강을 끼고 도는 비포장도로로 접어들면서 버스가 덜커덩거리며 심하게 흔들렸지만, 그래도 작은아버지는 그대로였다. 서너 길은 넉넉히 돼 보이는 깊은 낭떠러지 아래로 꽁꽁 얼어붙은 강을 건너가는 소달구지가 보였다. 난생처음으로 보는 희한한 광경이었다. 그런데 그만 무서운 생각이 들었다. 버스가 저 아래로 굴러떨어진다면 여지없이 박살이 나고 말 거라는 끔찍한 생각이 들면서 점점 불안해지기 시작했다. 버스는 녹지 않고 쌓여 있던 눈이 군데군데 얼음으로 바뀐 고르지 못한 길바닥을 달리고 있었다. 혹시라도 비어져 나온 돌멩이를 밟고 튀어 오른 차체가 기우뚱하고 한쪽으로 쏠리면 영락없이 낭떠러지 아래 강바닥으로 곤두박질칠 것이 분명했다. 그래서 눈을 감고 있는 작은아버지를 조심스럽게 불렀다.

"작은아버지, 주무세요?"

그제야 작은아버지가 눈을 떴다.

"왜, 무서워서 그러네?"

작은아버지는 잠이 든 것은 아니었다. 눈을 감고 있으면서도 무서워하는 내 마음을 읽고 있었다.

"아뇨."

낼모레면 고등학생이 된다고 으스대며 돌아다니던 그때의 나로서는 그까짓 낭떠러지를 무서워한 것이 창피해서 고개를 세게 가로저었다.

"그라믄 왜 그러네?"

"얼마나 더 가야 하는지 몰라서요."

"이제 조금만 더 가믄 된다."

"더요?"

"그래. 이 뻐스가 가는 종점이야."

그리고 작은아버지는 다시 눈을 감았다. 나는 더 이상 말을 붙이지 못했다. 말을 붙이면 안 되는 낯선 사람으로 느껴졌다. 갑자기 남남이 된 것처럼 분위기가 서먹했다. 다른 사람들에게는 무뚝뚝해도 나한테만은 정을 많이 주던 작은아지였는데, 팔짱을 낀 채 눈을 감고 있던 그날의 작은아버지는 내 작은아버지가 아닌 딴 사람이었다.

어쨌든 버스가 꼬불꼬불한 산길을 굽이굽이 돌아서 종점에 닿았고, 승객들이 모두 내린 맨 나중에 작은아버지는 비로소 눈을 떴다. 보따리를 들고 엉거주춤 몸을 일으키던 작은아버지가 나에게 말했다.

"여기는 차가 하루에 한 번밖에 다니지 않는 데니까 너는 이 빼스를 타고 다시 돌아가야 하갔다. 하룻밤 자고 가라 하고 싶지마는 니네 아버지가 팔짝팔짝 뛸 테니까니 섭섭하기는 해도 그냥 되돌아가는 게 좋갔구나. 내가 사는 곳을 알았으니 이담에 어른이 돼서 오게 되믄 그때는 실컷 놀다 갈 수 있갔지."

나는 작은아버지의 말을 거역하지 못하고 그대로 앉아 있었다. 버스에서 내린 작은아버지는 내가 앉아 있는 뒷좌석까지 와서 손바닥으로 차창을 탕탕 치며 씩 웃더니 이내 몸을 돌렸다. 나는 꾸부정한 모습으로 휘적휘적 걸어가는 작은아버지의 뒷모습을 조금이라도 더 보려고 고개를 쑥 빼고 내다보았다. 그러나 그 꾸부정한 뒷모습은 모퉁이를 돌아 금세 사라졌다. 한참이나 참고 있던 오줌을 누고 오자마자 버스는 곧바로 출발했다.

돌아오는 버스 안에서는 집채만 한 커다란 바위가 무겁게 짓누르는 것 같은 안타까움에 가슴이 답답했다. 어쩌면 작은아버지를 다시는 만나지 못할 거라는 막연한 안타까움이었는지도 모른다.

그런데 그렇게 안타까운 가운데에도 희한하게 한 가지 의문이 고개를 들었다. 도대체 작은아버지는 고슴도치를 어떻게 처분했을까 하는 의문이었다. 사과 궤짝에 넣어서 애지중지 기르던 작은아버지의 고슴도치, 저녁이면 알아듣지도 못할 말을 중얼중얼 염불하듯 혼잣말을 하며 고구마 부스러기 따위를 넣어주던 그 고슴도치를 하룻밤 사이에 어떻게 처분했는지 궁금했다. 그토록 애지중지 기르던 동물에 대해서는 아무런 언질도 없이 초라한 보따리 하나만 달랑 몸에 지니고 나왔으니 도무지 알 수가 없는 노릇이었다.

그 의문은 오늘까지도 풀리지 않았다. 그날 이후로 작은아버지를 만나 본 날이 손꼽을 만큼이었다는 이유도 있겠지만, 산골 구석에서조차 사과 궤짝의 고슴도치처럼 잔뜩 웅크리고 살아가는 작은아버지의 궁상맞은 모습을 보고서는 차마 그 얘기를 꺼내지 못했던 것이다.

우리 집 윗방에서 혼자 지내던 작은아버지는 고슴도치 두 마리를 사과 궤짝에 넣어 아주 정성껏 길렀다. 정성껏 기른다는 말이 모자랄 정도로 아예 고슴도치를 끼고 살았다. 아침이면 자전거 짐받이에 사과 궤짝을 통째로 싣고 나갔다가 어둑어둑해진 저녁이면 약간 술에 젖은 콧노래를 흥얼거리며 자전거를 끌고 판자촌 언덕길을 올라왔다. 어머니가 차려다 준 저녁상을 물리고 나면 그 사과 궤짝 곁에서 팔베개를 하고 누웠다가 그대로 잠이 드는 것이 작은아버지의 반복되는 생활이었다. 이따금 술에 취한 아버지가 그놈의 보기 싫은 흉물을 어디다 갖다 버리든지 죽여 없애든지 하라고 소리를 버럭버럭 질러댔다. 그럴 때면 작은아버지는 사과 궤짝을 끌어안고 눈을 부릅뜨며 아버지를 날카롭게 노려봤다. 그만큼 고슴도치를 향한 작은아버지의 집착은 대단했다.

나는 작은아버지 왜 그토록 고슴도치에 집착하는지, 그 작은 짐승이 도대체 무슨 소용에 닿는 것인지 전혀 눈치를 채지 못했었다. 그런데 우연한 기회에 그 고슴도치 - 아버지가 취중에 하는 말에 의하면 가문을 망신시키는 작은아버지를 닮은 흉물 - 의 용도를 알게 되었다.

전혀 뜻밖이어서 웃기는 얘기 같지만, 온몸이 뾰족뾰족한 바늘로 덮인 두 마리의 고슴도치는 바로 작은아버지의 돈벌이 수단이었다. 작은아버지는 사람들이 많이 다니는 길거리에서 고슴도치를 꺼내놓고 그놈들을 희롱하며 돈을 벌고 있었다. 길거리 약장수였다. 나는 그 사실을 우연히, 전혀 뜻하지 않게 알게 되었다.

작은아버지가 집을 떠나기 불과 몇 달 전의 가을날이었다. 중간고사가 끝나서 모처럼 희희낙락한 나와 친구 놈들은 미성년자관람불가라는 팻말을 무시하며 극장 안으로 숨어 들어가는 모험을 감행했다. 그러나 빡빡머리의 우리는 재수 없게 극장 안에 들어서자마자 다른 학교 생활지도 선생에게 덜미를 잡히고 말았다. 극장 간판에 커다랗게 그려져 있는 섹시한 눈빛의 여배우를, 상체를 드러낸 채 침대에 비스듬히 누워 있는 그 인기 여배우를 곁눈으로도 보지 못하고 따귀만 몇 차례 얻어맞고 쫓겨났다. 재수 없게 아까운 돈만 날렸다고 투덜거리며 역전을 향하여 걸음을 옮기던 참이었다. 우리는 약속이나 한 듯 걸음을 멈췄다.

역 건물의 양지쪽에 많은 사람이 모여서 웅성거리고 있었다. 친구들과 눈이 마주친 나는, 재수 없는 극장보다 차라리 저기가 낫겠다, 저리로 가 보자, 하며 앞장섰다. 친구 녀석들도 흥미 있다는 투로 낄낄거리며 뒤따랐다. 사람들이 빙 둘러선 곳으로 다가가는 동안에 가래가 끓는 듯한 목쉰 소리가 들려왔다. 우리는 서로 바라보며 킥킥 웃었다. 목쉰 소리의 주인공은 바로 약장수였다.

"저기 있는 아저씨, 뭘 그렇게 망설이고 계슈? 이런 문제는 누구 눈치나 보구 망설일 게 아니란 말이지. 믿거나 말거나 한 번 갖다 잡숴 봐. 낼 아침부터 당장 효과가 나타날 테니까. 그 효과가 뭐냐? 흐흐, 두말하면 잔소리지만 낼 아침 밥상부터 달라진단 말이야."

둘러섰던 사람들이 와아 웃었다.

약장수의 목소리는 가래가 끓는 것 같아서 듣기에 좀 거북했지만 그래도 말은 청산유수였다. 약장수의 말이 잠깐 끊어진 사이에 나는 사람들을 비집고 앞으로 나가려는 시도를 했다. 그러나 구경꾼들은 엉덩이를 뒤룩대며 뻗지르기만 하고 자리를 내주지 않았다. 조금도 파고들 틈이 없었다.

약장수의 말이 이어졌다.

"하, 이놈들이 점잖은 아줌마 아저씨들이 쳐다보고 있어서 그런지 생긴 것답지 않게 부끄럼을 타누만. 그러나 두고 보슈. 지금은 부끄럼을 타느라고 이렇게 움츠리고 있디만서두 한 번 말을 하기 시작하믄 끝이 없다 이거요. 밤이면 밤마다 나도 못 먹는 달걀노른자에다가 참기름을 타서 멕이구 있으니 오죽이나 말을 잘하겠소. 이놈들로 말하자믄 주인 잘 만나서 호강을 하는 거라."

사람들이 다시 와아 하고 웃었다.

그 짬에 나는 맨 앞자리까지 나가는데 성공했다. 그런데 맨 앞자리에 털썩 앉는 순간 나는 그만 내 눈을 의심했다. 온몸이 뻣뻣하게 굳어 버렸다. 가래 끓는 목소리의 그 약장수는 바로 작은아버지였다. 작은아버지는 나무 꼬챙이를 가지고 사과 궤짝에 있는 고슴도치들을 툭툭 건드리며 지분대고 있었다.

"이놈들아, 이젠 입을 좀 열어 봐라. 세상에 말하는 고슴도치가 어디 흔하다더냐? 뭐라구? 약이 하나도 안 팔려서 재미가 없다구? 이놈들 봐라. 내가 뭐 먹을 게 없어서 이렇게 약이나 팔러 다니는 줄 아느냐? 인생의 짜릿한 재미를 모르는 아줌마 아저씨들한테 말 잘하는 니네들의 신기한 재주를 뵈 드릴라구 눈이 오나 비가 오나 방방곡곡을 누비는 거란 말이다. 허허, 아무리 미물이래두 주인 위한답시고 지껄이는 꼴이라니……."

작은아버지가 나무 꼬챙이를 휘두르며 몸을 돌렸다. 그때 누군가가 장난스럽게 소리를 질렀다.

"도대체 그놈의 고슴도치가 말을 하기는 하는 거요?"

사람들이 아까보다 더 크게 와아 웃음을 터뜨렸다. 그렇지만 나는 그 사람들을 따라 웃지 못했다.

"아, 진짜로 말을 할 줄 아니까니 이렇게 가지고 다니는 거지 그렇지 않구 거짓부리나 하고 다니믄 사람들이 가만있겠소? 요즘 같은 세상에 뼉다구도 못 추릴라구……. 자자, 이제 두고 보슈. 이놈이 말을 하기 시작하믄 오줌이 찔끔찔끔 나와서 사타구니가 다 젖을 테니까."

작은아버지가 자신만만하게 대꾸하며 씨익 웃었다. 그러다가 그만 작은아버지의 눈이 나와 마주쳤다. 순간적으로 작은아버지의 얼굴에 당황하는 빛이 지나갔는데,

"애들은 가라. 어르신들 인생 공부하는데 쓸데없이 기웃거리지 말고, 애들은 가라."

하고 고개를 절레절레 흔들며 두 팔을 휘휘 내저었다.

나는 친구 놈들의 옷자락을 잡아끌며 슬그머니 빠져나왔다. 저 약장수가 니네 작은아버지 맞지, 하며 놀리는 것만 같아서 얼굴이 화끈화끈했다.

그날 작은아버지가 약을 팔기 위해 고슴도치를 기르고 있다는 사실을 알았다. 사과 궤짝에서 사육되는 그놈들은 말하는 고슴도치로 변신하여 북적대는 길거리에서 사람들의 시선을 끌어모았던 것이다.

그런데 나는 가끔 그 고슴도치들이 진짜로 말을 하는 영물일지도 모른다는 허황하기 이를 데 없는 망상에 빠지기도

했다. 왜냐하면 작은아버지 혼자 있는 윗방에서 말소리가 나는 것을 괴상히 여겨 문틈으로 살짝 들여다보면 작은아버지가 고슴도치를 향해 뭐라고 중얼중얼 얘기하고 있는 광경을 목격할 수 있었기 때문이었다. 특히 아버지와 크게 말다툼을 하고 난 다음이면 작은아버지는 영락없이 사과 궤짝을 끼고 고슴도치와 두런두런 낮은 소리로 대화를 나누었다.

아버지는 고슴도치를 싫어했다. 솔직히 말하면 아버지는 고슴도치를 싫어한 것이 아니라 작은아버지를 싫어했다. 작은아버지를 싫어하니까 고슴도치에 진저리를 쳤던 것이다. 아버지는 술에 취하면 으레 작은아버지를 붙잡고 소리를 고래고래 지르며 역정을 냈다. 그럴 때면 고슴도치 또한 수난을 당했다.

"옛사람들 말이 하나도 그른 게 없어야. 하는 짓이 생긴 것과 똑같다고 하더니만, 어쩌믄 그 말이 너한테 꼭 어울리는 말인지도 모르갔다. 고슴도치 새끼를 끼구 앉아 있는 꼬락서니를 보고 있으믄 열이 뻗쳐서 미치갔어야."

아버지는 화가 절정에 다다르면 작은아버지가 끼고 있는 사과 궤짝을 걷어찰 기세로 펄펄 뛰었다. 그렇지만 작은아버지는 일언반구 대꾸도 없이 사과 궤짝 옆에서 눈만 잔뜩 부릅뜨고 몸을 움츠리고 있을 뿐이었다. 특히 아버지가 고향 얘기를 꺼내기만 하면 작은아버지의 몸은 더욱 동그랗게 오그라들었다.

"지나가는 개새끼를 잡고 물어보라야. 니가 발고하지 않았으믄 어드렇게 갸네들이 청년들 숨어 있는 곳을 알고 덮쳤갔네? 앉아 삼천 리 서서 구만 리라고, 눈깔이 시뻘개서 돌아다니는 인민군 새끼들한테 니가 나서서 말한 게 빤하디. 그래놓구서는 너 혼자 살갔다구 뻔뻔스리 삼팔선을 넘어왔니? 참으루 기가 맥힌다야, 기가 맥혀."

이 대목까지 이르면 아버지는 아예 주먹으로 당신의 가슴을 탕탕 쳤다. 그러면 작은아버지는 겨우 고개를 쳐들고,

"정말루 나는 아니야요. 그렇게두 나를 믿지 못하갔습네까?"

하고 들릴까 말까한 소리로 대꾸하는 게 고작이었다.

아버지는 코웃음을 쳤다.

"흥, 너를 어드렇게 믿네? 그 애국 청년들이 잽혀 나와 총을 맞고 죽기 바로 전날 밤부터 너는 집에 없었어. 그런데 그 일이 생기기 메칠 전부터 빨갱이 놈하고 은밀하게 내통하는 너를 내 두 눈으루다 똑똑히 봤단 말이다. 나는 그래두 설마 했는데 니가 종적을 감추고 나니까 정신이 아뜩해지더라야."

아버지가 이렇게 성이 잔뜩 나서 펄펄 뛰며 작은아버지를 몰아붙이는 데에는 풀리지 않는 사연이 있기 때문이었다. 아버지가 동네 사람들의 눈을 피해 몰래 피란을 나오기 전에 고향에서 벌어진 일이라고 했다.

요약하면 이렇다.

해방 이후 반공 단체에서 활동하던 청년들 몇이 전쟁 통에 미처 피신을 하지 못하고 쫓기게 되었는데 마을 사람들이 그들을 마을 뒷산에 숨기고 쉬쉬했다. 그런데 며칠 뒤 뒷산으로 우르르 몰려간 인민군들이 그 청년들을 결박 지어 내려왔고, 산에서부터 이미 초주검이 된 청년들은 인민군이 주재하고 있던 마을 회당 앞마당에서 마을 사람들 전부가 지켜보는 가운데 공개적으로 총살을 당하는 일이 벌어졌다.

마을 사람들은 분명히 누군가 밀고자가 있을 거라고 확신했다. 청년들을 숨겨 놓은 곳은 마을 사람들 말고는 쥐도 새도 모르는, 누가 밀고하기 전에는 절대로 들킬 염려가 없는 안전한 곳이었다. 그런데 따발총과 죽창을 휘두르며 산길로 접어든 인민군들은 조금도 망설이지 않고 곧바로 청년들이 은신해 있는 동굴로 직행을 하더라는 것이다. 몸서리치게 끔찍한 청년들의 시체를 바라보는 마을 사람들의 눈에는 저마다 핏발이 섰다. 애국 청년들을 참혹한 죽음으로 몰고 간 악

랄한 밀고자가 누구인지 핏발선 눈을 흘기며 서로를 의심하는 지경이 되었다.

그런데 마을 사람들의 그 사나운 눈초리가 아버지에게로 쏠리게 되었다. 청년들이 공개 처형을 당한 바로 그날부터 작은아버지가 마을에서 보이지 않았기 때문이다. 작은아버지는 어찌 된 곡절인지 첫아이를 사산하고 누워 있는 아내에게조차 어떤 낌새도 보이지 않고 마을에서 사라진 것이다. 끔찍한 난리에 온 마을이 술렁거리는 데도 작은아버지는 그림자조차 보이지 않았다. 자연히 마을 사람들은 작은아버지에게 밀고의 혐의를 두게 되었고, 그러다 보니 그들의 사나운 눈초리가 아버지를 향하게 된 것이다.

아버지는 당신 나름대로 괴로움이 있었다. 그 일이 있기 전날 밤에 작은아버지가 마을 회당에서 나와 사방을 두리번거리다가 잽싸게 골목으로 뛰어가는 광경을 목격했기 때문이다. 작은아버지가 밀고자라고 생각하는 것은 지극히 당연했다. 괴로운 마음을 견디지 못하고 전전긍긍하고 있을 때 마을 사람들이 따가운 시선을 보내며 동요하기 시작하자 아버지는 가족들을 데리고 야반도주를 하는 방법밖에 도리가 없었다.

"내가 그렇게 악질이라믄 와 성님을 찾갔다고 고생을 하며 헤맸갔습네까?"

작은아버지는 아버지의 화가 진정될 기미를 보이지 않으면 마지막으로 이렇게 말하고 입을 꾹 다물었다. 부산의 어느 길목에서 아버지가 월남했다는 소식을 우연히 듣게 된 작은아버지는 그때부터 형님을 찾을 일념으로 백방으로 뛰어다녔다고 했다. 그런데 만약 자기가 남들이 생각하는 대로 그런 파렴치한 밀고자라면 무슨 낯으로 형을 찾겠다고 천지사방으로 수소문하며 돌아다녔겠느냐는 하소연이었다.

"그딴 말로 어물쩍 넘길라구 하지 말라야. 니가 무슨 말을 하든지 내 이 두 눈으루다가 똑똑히 봤으니까니 변명할 생각은 말라야. 아파서 누워있는 마누라 팽개치구 도망질 친 새끼가 무슨 할말이 있다구 씨부렁거리고 자빠졌네?"

그러면서 아버지는 사과 궤짝을 발길로 차 엎으며,

"꼭 고슴도치 새끼가 웅크리구 있는 상판대기를 해 가지구……."

하고는 방을 나갔다.

그렇게 해서 작은아버지를 상대로 한 아버지의 일방적인 싸움, 아니 일방적인 화풀이는 끝이 나는 것이었다.

아버지가 술에 취해 들어오는 날이면 어김없이 벌어지는 이러한 소란을 보면서 나는 작은아버지의 태도를 이해하지 못했다. 작은아버지는 단 한 번도 아버지에게 대든 적이 없었다. 그냥 일방적으로 당하기만 했다. 아버지가 아무리 심한 말을 마구 해대도 묵묵부답이었다. 심지어 아버지가, 니 새끼는 상판대기도 쳐다보기 싫으니까니 어디 나가서 뒈지기나 하라야, 하는 심한 말도 서슴지 않고 했는데 그래도 작은아버지는 그저 사과 궤짝만 끼고 있을 뿐이었다. 어쩌다가, 그렇게도 나를 믿지 못하갔습네까, 하는 정도의 소극적인 말로 자신을 변명하는 것이 전부였다. 더구나 고향에서 있었던 일, 특히 사산을 하고 병석에 있는 아내를 두고 종적을 감추었던 그 일에 대해서는 적극적으로 해명을 하지 않았다. 그래서 나는 작은아버지가 말하지 못할 그 어떤 잘못을 저지르기는 했나보다고 막연히 생각하고 있었다.

그렇게 넋을 놓고 음울하게 지내던 작은아버지는 북한강이 얼어붙은 어느 추운 겨울날에 세상을 피해 달아나듯 추레한 모습으로 보따리 하나만을 달랑 옆구리에 끼고 산골 마을로 들어갔던 것이다. 산골로 들어간 뒤로는 우리 가족과 인연을 끊다시피 하고 지냈다. 아버지가 돌아가셨을 때 한밤중에 바람처럼 나타나서 영정을 껴안고 숨넘어갈 듯 한바탕 곡을 하고 내려간 이후로는 줄곧 시골에 파묻혔다.

그리고 어느 해에 그곳 사람의 주선으로 자식도 없이 혼자 살고 있는 과부와 살림을 차렸다. 그렇지만 그 마을에서 한 발자국도 벗어나지 않는 폐쇄된 삶은 변하지 않았다. 내가 성인이 되어 인사치레 삼아 몇 번 찾아갔을 때도 작은아버지는 당신의 삶에 대해 더 이상 말할 것도 없고 들을 것도 없다는 투의 무표정한 모습이었다.

마을 어귀로 꺾어 들어서자마자 바로 오른쪽 산 중턱에 한 무리의 사람들이 눈에 띄었다. 나는 급히 차를 멈췄다. 필시 작은아버지의 묏자리일 터이다. 서둘러 차를 몰면 운구하기 전에 도착할 수 있을 거라는 예상이 빗나갔다. 길가에 차를 세운 채 산길로 들어섰다. 키 작은 관목들이 빽빽하게 우거져서 아무렇게나 이리저리 뻗쳐 있는 나뭇가지들이 바짓가랑이를 훑으며 붙잡는다.

어느새 하관을 마치고 달구질을 하고 있었다. 앞에서 메기는소리가 청승맞게 늘어지고 그 청승맞은 소리를 받는 달구꾼들의 소리 또한 길게 늘어졌다. 에이허라 달구. 달굿대가 기계적으로 올라갔다가 툭 떨어진다. 달구꾼들의 메기고 받는 저 소리가 왜 이리 쓸쓸하게 느껴지는 걸까. 한쪽 옆에서 소복을 입은 여인이 옷고름으로 눈물을 찍어내고 있다.

인생이라 허는 것두 만물 중에 일분자라
에이허라 달구
백 년 장수헌다 해두 가는 세월 유수로다
에이허라 달구
그 중에서 청춘 시절 멫 날이나 지났던고
에이허라 달구
높고 낮은 저 무덤에 영웅호걸이 그 멫이냐
에이허라 달구

나는 달구꾼들 사이를 비집고 들어가 절을 올렸다. 누가 종이컵을 불쑥 건네며 술을 가득 채운다. 그 술잔을 받아 달구질 하는 주위에 돌아가며 뿌렸다. 작은아버지의 얼굴이 눈앞에서 어른거린다. 입을 꾹 다문 얼굴은 여전히 무표정하다. 작은아버지, 이젠 웅크렸던 그 몸을 쭉 펴고 편히 쉬세요. 생각지도 않았던 말이 신음처럼 흘러나왔다. 눈을 감았다. 주춤했던 달구소리가 다시 이어졌다.

백 년을 다하도록 무얼 위해 살았을까
에이허라 달구
시상 한 번 이별하믄 시비흥망 상관없네

에이허라 달구
무엇무엇 허는 것두 살았을 적 생동이요
에이허라 달구
명당자리 찾는 것두 산 사람의 소원이라
에이허라 달구

뾰족한 가시를 빳빳하게 세운 고슴도치 두 마리를 양쪽 어깨에 얹은 작은아버지가 청승맞은 달구소리를 뒤로 하고 꾸부정하게 건넛산을 향해 걸어간다. 나는 작은아버지의 뒤를 따라 망연히 건넛산을 바라볼 뿐이다.

그때 옷고름으로 눈물을 찍어내고 서 있던 여인이 천천히 다가왔다. 그리고는 아주 송구하다는 표정으로 쭈뼛쭈뼛하더니 슬그머니 내 손을 잡는다.

"이런 시골구석까지 와 주셨구먼요. 연락을 하지 않을라고 했는데, 핏줄 하나 남기지 않구 떠난 저 양반을 생각하니까 너무 기가 맥혀서 죄송스럽기는 하지만 연락을 드렸네요."

여인이 손가락으로 코를 팽 풀더니 치맛자락에 쓱쓱 문지른다.

"아닙니다. 무심하게 지낸 제가 도리를 못한 거죠."

여인을 보기가 민망해서 나는 말끝을 흐렸다.

"이까짓 놈에 세상, 뭐를 얼마나 사람답게 살겠다구 그렇게 꼬장꼬장 살았는지 모르겄네요. 남들은 이렇게두 한 세상 저렇게두 한 세상이라구 잘들만 살던데, 저 양반은 뭐가 그렇게 한이 맺혔는지 평생을 입 꾹 다물고 혼자서만 살았으니, 아마 모르긴 몰라도 저승까지 가서도 혼자서만 꾸부리고 살 위인이지요. 평생 싫다는 소릴 해 봤나 그렇다구 좋다는 소릴 해 봤나……."

여인이 혼잣소리로 넋두리를 늘어놓았다.

"작은아버님께서 뭐 남기신 말씀은 없었나요?"

내가 물었다. 그런데 곁에서 의아하게 바라보고 서 있던 노인이 여인을 제치며,

"말씀은 무슨 말씀이 있었겠소? 평생을 귀신처럼 살다가 간 위인인데."

하고 퉁명스럽게 대신 대꾸를 했다.

노인을 향해 고개를 끄덕이며 목례를 보냈다. 노인은 나에게 들으라는 것인지 아니면 혼잣소리를 하는 것인지 모르게 얘기를 계속 이어갔다. 목구멍에 가래가 걸렸는지 글그렁글그렁 숨 가쁜 소리가 났다.

"글쎄, 세상하고 무슨 원수가 졌는지 도통 남들한테 제 맘을 터놓지 않고 무심하게 지냈단 말이지. 그저 때가 되면 나

와서 밭을 갈고, 가을걷이 다 끝나면 집구석에 틀어박혀서 꼼짝하지 않고 지내던 위인이었소. 첨에 이 동네에 들어왔을 땐 말하지 못할 무슨 딱한 사연이라도 있는가 보다 생각했는데 평생을 그러고 사니까 나중에는 천성으로 그렇게 생겨 먹은 사람이구나 치부를 했지. 남들한테 대해서 그르다는 말도 좋다는 말도 할 줄 모르고, 있는 듯 없는 듯 그렇게 귀신처럼 살다가 갔으니 무슨 말인들 남기고 죽었겠소."

말을 마친 노인이 답답한 듯 가쁜 숨을 몰아쉬더니 가래침을 카악 뱉으며 돌아섰다. 무슨 말을 덧붙이려는 듯 입술을 달싹거리던 여인이 축 처진 어깨를 들먹이며 노인을 따랐다. 소복을 한 여인의 뒷모습이 유난히 작게 보였다.

있는 듯 없는 듯 그렇게 귀신처럼 살다가 갔으니 무슨 말인들 남기고 죽었겠소, 하는 노인의 가래 끓는 목소리가 귓가에서 맴을 돈다. 노인은 작은아버지가 세상을 마칠 때까지도 마음에 품은 말들을 속시원하게 털어내지 못하고 떠난, 천성으로 그렇게 생겨 먹은 사람이라고 했다. 그런데 정말 그럴까, 정말로 당신이 하고픈 많은 말들을 마음속에만 품고 살다가 그렇게 귀신처럼 가셨을까.

아니다. 나는 고개를 가로저었다. 작은아버지는 이미 당신이 기르던 그 고슴도치에게, 싸구려 약을 팔러 다니며 구경꾼들 앞에 재밋거리로 풀어놓고 희롱하던 그 고슴도치에게 속마음을 훌훌 털어냈을 거라는 확신이 들었다. 한밤중에 수수께끼처럼 흔적도 없이 사라진 그놈들이 작은아버지의 유일한 대화 상대였으므로, 아마도 그 두 마리의 말하는 고슴도치는 사과 궤짝 안에서 꼼지락거리며 작은아버지의 내면에 있는 깊은 얘기를 밤마다 듣고 있었을 것이다.

달구질하는 소리는 여전히 청승맞다. 멀리 산꼭대기 위로 햇솜처럼 하얀 구름이 무심하게 흘러간다. 밤송이 같은 고슴도치 두 마리를 어깨에 얹은 작은아버지의 꾸부정한 뒷모습이 흐릿하게 멀어져간다.

부두의 삽화(揷畫)

어둠이 내려앉기 시작하는 부두는 몹시 스산하고 쓸쓸하다. 고향을 찾아가는 사람들로 시끌벅적했을 대합실은 이제 썰렁한 채로 텅 비어 있다. 매표 창구 위에 걸린 안내판에서 여객선 운행 시간을 훑어보던 나는 그만 울적한 기분이 되어 돌아서고 말았다. 찾아갈 고향이 있는 것도 아니면서 여객선 운행 시간은 알아서 어쩌겠는가. 연락선이 언제 떠나든 어디를 가든 나는 알 바가 아니다. 연락선을 타고 갈 고향은 내게 없다. 명절을 앞둔 날이지만 나는 찾아갈 고향이 없으니 울적하게 바다만 바라보다가 그냥 돌아서야 한다.

대합실 한가운데에 자리를 차지한 커다란 연탄난로는 이

미 싸늘하게 식어 있다. 많은 귀성객이 선물 꾸러미를 들고 고향을 찾아가는 기쁨에 들떠 북적거리던 한낮에는 그래도 제 구실을 했을 테지만, 이제 불기가 사그라들어 싸늘한 쇳덩어리로 변한 연탄난로는 가뜩이나 썰렁한 대합실을 더욱 스산하게 만들고 있다. 기다란 나무의자에 엉덩이를 걸치다 말고 금세 몸을 일으켰다. 도저히 텅 빈 대합실에 혼자 궁상맞게 앉아 있을 기분이 아니다.

대합실을 빠져나온 나는 급하게 잠바의 깃을 여몄다. 바다에서 불어오는 칼바람이 사정없이 얼굴을 할퀴고 지나간다. 커다란 여객선들이 닻줄을 내리고 정박해 있는 바닷물 위로 시꺼먼 기름과 너절한 잡동사니들이 둥둥 떠 있다. 방파제가 길게 뻗은 저만큼 끄트머리에 회색빛 등대 하나가 덩그렇게 서 있고, 그 등대 멀리에 조그만 고깃배가 가물가물 떠간다. 배 떠난 부두에서 이별을 하고 눈물을 흘리고 어쩌고 하는 유행가 가사가 있었는데, 유행가 가사처럼 모두 이별을 하고 돌아섰는가, 길거리에는 지나는 사람이 하나도 눈에 띄지 않는다. 인적 없는 황량한 겨울 부두에 날카로운 바닷바람만 쌩쌩 스친다. 나는 목을 잔뜩 움츠렸다.

어느새 건너편 건물에서 드문드문 불빛이 보인다. 방파제 쪽으로 걸음을 옮기려고 모퉁이를 돌아가던 나는 우뚝 멈춰

섰다. 대합실 건물 담벼락에 바싹 들이대고 들어선 포장마차에서 불빛이 흘러나오고 있다. 마치 나를 기다리기라도 했다는 듯 환하게 빛나고 있는 불빛이 반가워서 냉큼 포장마차 안으로 들어섰다.

"어서 오세요."

인기척에 습관적으로 반응하며 인사를 내뱉던 주인아주머니가 고개를 돌렸다. 그러더니 눈을 동그랗게 뜨며 놀란다.

"아니, 이게 누구야?"

"그동안 안녕하셨죠?"

울적한 마음을 달래 주던 포장마차의 인심 좋고 입심 좋은 주인아주머니가 반가워서 꾸벅 인사부터 했다.

"어쩐 일이야, 통 보이질 않더니?"

"불이 환하게 켜져 있길래 들어왔죠. 그나저나 오늘 같은 날도 장사를 합니까?"

나는 플라스틱 의자를 끌어당겨 앉았다.

"그러게 말이지. 팔자 좋게 집구석에 틀어백혀서 먹구 살 수 있으믄 좀 좋을까? 그저 목구멍이 웬수지."

주인아주머니는 묻지도 않고 오뎅 국물 한 그릇과 소주를 내 앞으로 밀어 놓는다. 물을 필요도 없다. 여기에 올 때마다 오뎅 국물만으로 안주를 했으니까.

태어나고 자란 곳이 섬마을이어서 그런지 마음이 울적할 때면 바다가 불현듯 그리워졌다. 그때마다 나는 여객선이 뱃고동을 길게 울리며 드나드는 여기 부두에 나와 수평선 끝에 아스라하게 떠 있는 작은 섬들을 바라보곤 했다. 그러다가 일렁이는 바다를 붉게 물들이던 저녁놀이 스러지고 어둑어둑 땅거미가 깔리면 포장마차에 들러 소주를 마셨다. 빈속에 소주 몇 잔이 들어가서 온몸이 나른해지면 울적했던 마음이 가라앉고 평온함을 누릴 수 있어서 좋았다. 게다가 입심 좋게 이런저런 말을 받아주는 주인아주머니의 수더분한 인정이 더욱 나를 끌었다.

"내일이 설날인데 고향엔 가지 않는감?"

설거지를 하던 주인아주머니가 앞치마에 손을 쓱쓱 문지르며 묻는다.

"갈 고향이 있어야지요."

나는 피식 싱겁게 웃으며 대꾸했다. 참으로 멋대가리 없게 쓸쓸한 대답을 했구나 하는 생각이 들었다. 그렇지만 다른 말로 바꾸어 나 자신을 위로하기는 싫다. 안주도 먹지 않고 거푸 들이킨 술기운으로 사지가 금세 나른하게 풀렸다.

"배를 타구 한 시간이믄 고향이라고 했잖었어?"

"그렇긴 하지요. 하지만 기다려 주는 사람 하나 없는 고향이 무슨 소용이 있나요?"

"하기사 누가 기다려 줘야 고향이지……."

주인아주머니가 한숨을 길게 내쉬었다. 그 얼굴에 쓸쓸한 빛이 스쳐간다.

"아주머니도 기다려 주는 고향이 없어요?"

"고향을 떠난 지가 십 년두 넘었구먼. 손바닥만큼 있던 땅뙈기 날리고, 고생은 고생대로 하구, 이제는 낯짝 들고 고향이라고 찾아갈 수도 없으니……. 그럭저럭 굶지 않구 살믄 되는 거지 새삼스럽게 고향은 찾아서 뭘 할 것인감?"

그러면서 또 한숨이 터진다. 나는 괜한 소리를 했나보다고 후회하며 반쯤 남은 술잔을 홀짝 입에 털어 넣었다.

그때 술에 젖은 여자의 목소리가 쨍 하고 고막을 때렸다.

"아저씨, 고리타분한 고향 얘기는 집어치우고 술이나 한 잔 사 줄래요?"

고개를 돌렸다.

여자는 하얀 김이 무럭무럭 피어오르는 커다란 국솥 옆에 숨어서 술잔을 빤히 들여다보고 있었다. 오뎅 국물이 펄펄 끓으면서 하얀 김이 안개처럼 뿌옇게 서리고, 또 워낙 커다란 솥이 가리고 있어서 나는 여자의 존재를 깨닫지 못하고 있었다. 스물 조금 넘었을까, 피곤한 기색이었지만 밉상은 아니다. 여자는 언제부터 마셨는지 얼굴에 발그레한 물이 들었다.

"벌써 취한 거 같은데 더 마셔도 되겠소?"

나는 일부러 투박하게 대꾸했다.

"이 아저씨 우습네. 아줌마랑 얘기할 땐 한껏 점잖은 소리만 골라서 하더니, 나한테는 왜 그렇게 무뚝뚝하게 말하는 거죠? 기집애가 술이나 먹고 있으니까 꼴불견이다 이거예요?"

여자가 날카롭게 내쏘았다.

"그런 뜻은 아니니까 시비는 하지 마쇼. 술을 그만 마시는 게 좋을 거 같아서 한 말이요."

"풋, 걱정해 줘서 고맙네요. 그치만 아직 취하지 않고 말짱하니까 너무 비싸게 재지 말고 쏘주나 한 잔 사요."

그러면서 여자가 다짜고짜 곁으로 다가와 앉는다. 커다란 트렁크를 들고 있었다. 갑자기 트렁크를 끼고 앉은 여자의 작은 몸뚱이가 온통 외로움으로 덮여 있는 듯 보였다. 도대체 이 여자는 무엇 때문에 술에 취하고 싶어 할까. 어째서 저 작은 몸 전체가 외로움 덩어리처럼 보이는 걸까. 어떤 여자이기에 처음 보는 낯선 남자한테 당돌하게 술을 청하는 걸까. 나는 여자의 정체를 궁금해 하며 술을 따라 주었다.

"건배해요, 우리."

여자가 과장된 동작으로 술잔을 치켜들었다. 내 술잔이 여자의 술잔에 가볍게 부딪쳤다. 여자가 술잔을 입으로 가져갔다. 그러나 입술에 대는 시늉만 하고 술잔을 내려놓는다.

"고마워요."

여자가 희미하게 웃었다. 허전함이 가득 담긴 눈망울이 찡하게 가슴을 울린다. 이 여자를 둘러싸고 있는 외로움과 허전함은 무엇일까. 나는 할말을 찾지 못하고 술잔을 단번에 훅 들이켰다.

"나 이상한 여자죠?"

여자가 빤히 쳐다보며 묻는다.

"요새 소주도 한 잔 못하는 여자가 있나?"

"아이, 아저씨. 너무 무뚝뚝하게 내쏘지 말아요. 자꾸 그러면 김새니까."

"천성이 그래요."

내 말은 여전히 퉁명스럽다.

잠깐 침묵이다. 여자는 술잔만 만지작거리고 있다. 그러다가 갑자기 여자가 고개를 쳐들었다.

"참, 우리 오늘 첨 만났는데 인사부터 해요. 내 이름은요, 말하기가 쑥스럽지만요, 순덕이에요, 김, 순, 덕, 진짜 촌스런 이름이죠?”

그러고는 까르르 소리 내어 웃는다. 나도 따라서 피식 웃었다.

“글쎄 말예요, 내가 태어났을 때 사내애처럼 너무 큰 소리로 극성스럽게 울어서 좀 순하게 크라고 그렇게 지었대요. 호적에는 순덕이라고 올려 있는데 부를 때는 순딕이라고 불렀어요. 순딕아 그만 좀 울어라, 순딕아 에미 속 좀 작작 썩여라, 순딕아, 순딕아. 그런데 아저씨, 그 순딕이가 이렇게 생판 첨 만난 남자하고 술을 마시면서…….”

말을 채 마치지도 못하고 여자가 얼굴을 파묻고 울었다.

나는 당황했다.

“울지 말아요. 무슨 일인지는 모르지만 우리 김새지 않게 술이나 같이 듭시다.”

여자의 술잔을 가득 채워 주었다.

“미안해요, 아저씨.”

여자가 눈물을 닦으며 입술을 지그시 깨물었다.

“아까는 고맙다고 하더니 이제는 미안하쇼? 그렇지만 고마워할 것도 미안해 할 것도 없시다. 보아하니 마음이 울적한 거 같은데 울적하기는 나도 마찬가지요. 그러니까 같이 어울려서 한 잔 걸치고 헤어지면 그런대로 마음이 좀 풀리지 않겠소?"

"그래요, 아저씨, 이유 없이 그냥 한 잔 마셔요."

여자가 잔을 치켜들었다.

"거, 아저씨 소리는 그만 하쇼. 듣는 아저씨 기분 나쁘니까, 하하하."

나는 일부러 소리 내어 크게 웃으며 그녀를 따라 술잔을 치켜들었다. 여자가 입가에 보일 듯 말 듯한 미소를 짓는가 싶었는데, 그 미소는 금세 무너져 내릴 것만 같은 한숨으로 변하고 말았다. 여자의 모습은 금방이라도 와르르 무너질 것처럼 공허해 보였다. 무엇을 하는 여자일까. 무슨 사연이 있어서 이렇게 애틋해 보이는 걸까. 자신을 학대할 만큼 거친 여자로 보이지도 않는데, 도대체 이 여자를 둘러싸고 있는 공허함은 무엇일까. 애틋함이다. 아니 외로움이다. 어쨌든 조금만 건드려도 폭삭 주저앉을 것 같은 아슬아슬한 여자다. 나는 고개를 숙이고 있는 여자를 곁눈질하며 남은 잔을 홀짝 비웠다. 여자는 입을 꾹 다물고 있다.

"바다를 보면 마음이 좀 풀릴 줄 알았어요."

한참의 침묵이 지나간 뒤에 여자가 내 빈 잔에 술을 따르며 입을 열었다.

"그런데?"

나는 계속 여자의 얼굴을 흘끔흘끔 곁눈질했다.

“차가운 바람에 출렁거리는 바다를 보니까 오히려 마음이 더 울적해졌어요. 그래서 소주라도 한 잔 마시면 좋겠다고 생각했죠.”

“아가씨 고향이 섬마을인가 봐?”

“아뇨.”

“그런데 왜 바다를 보고 싶어 했는지……?”

“그냥이요. 그냥 갑자기, 왜 그랬는지는 모르는데 갑자기 바다가 떠올랐어요. 사실 내 고향은 바다하고는 전혀 상관없는 산마을이거든요.”

“그럼 바다에 얽힌 사연이라도 있나 보지.”

순간 여자가 피식 웃더니 고개를 돌린다. 다시 침묵이 무겁게 가라앉았다. 이따금 오뎅 국물이 끓어 넘치며 졸아드는 소리가 치익치익 하고 희미하게 들릴 뿐 침묵이 쉽게 걷힐 것 같지가 않다.

“그래 맞아. 분명 무슨 사연이 있어.”

나는 여자의 자존심을 건드릴까 그것을 걱정하면서도 침묵의 딱딱한 분위기를 풀기 위해서 장난기를 담은 어조로 말했다.

“그렇게 보여요?

여자가 반응을 보였다.

"사연이 있어 보이는 건 사실인데."

"왜요?"

나는 딱딱한 분위기를 풀려고 장난스럽게 한 말인데 여자는 의외로 정색을 한다.

잠깐 말문이 막혔다. 그렇지만 여자에게 진심을 말해야만 할 것 같았다.

"허전해 보였지. 아가씨에게서 풍기는 분위기가 야릇하면서도 허전했지."

내 말에 여자가 하얀 이를 드러내며 웃었다. 처음으로 보는 밝은 모습이다.

"듣고 싶어요, 어째서 내가 허전해 보이는지?"

"아니, 꼭 듣고 싶은 건 아니고. 나하고는 상관없으니까 얘기하지 않으면 그만이지. 어쨌든 오늘 밤 우리가 만난 것도 인연인데 술이나 실컷 마시고 서로 기분이나 풉시다. 자 건배해요, 아가씨."

나는 여자가 아까 했던 것과 똑같이 술잔을 눈앞으로 치켜들었다. 그러자 이번에는 여자가 고개를 젖히고 까르르 웃는다.

"어머, 이 아저씨 되게 웃기네. 내게서 풍기는 분위기가 뭐 허전해 보인다구요? 오늘 밤 우리가 만난 것도 인연이라구요? 인연이니까 술이나 실컷 마시자구요? 그래요. 진탕 퍼마셔요. 그런데 우리가 뭐 술 퍼마시고 기분 풀 일이 있기나 해요? 진짜 이 아저씨 너무너무 웃긴다. 분명히 아저씨는 엉큼한 생각을 품고 있는 거죠? 여자가 혼자 포장마차에 앉아 있으니까 어떻게 해서 꼬셔 보려고 그러는 거죠? 아저씨 혹시 상습범 아녜요?"

여자는 숨도 쉬지 않고 쏘아대더니 또 한 번 까르르 웃음을 터뜨렸다. 나는 어안이 벙벙할 뿐이다. 어떻게 이해해야 하는 여자인지 도무지 감을 잡을 수가 없다. 처음 보는 남자에게 무턱대고 술을 사 달라고 달려드는 여자, 눈물을 찔끔거리며 술잔을 만지작거리는 여자, 자기 멋대로 허전한 얼굴을 만들었다가 또 자기 멋대로 고개를 젖혀가며 까르르 웃어대는 여자. 도대체 어떤 여자인가. 외모로 보면 발라당 까진 날라리 같기는 않은데 이랬다저랬다 하는 짓이 아무래도 불쾌하다.

"아가씨, 지금 나 놀리는 거야?"

나는 불쾌감을 숨기지 않았다. 그러자 여자가 다시 정색을 하며 더 바투 다가앉았다.

"아녜요, 아저씨. 내가 언제 봤다고 아저씨를 놀려요. 지금

내가 나한테, 내가 순덕이한테 심통이 나서 그러는 거여요. 아저씨를 보자마자 내 맘을 털어놓아도 되겠다는 생각을 했어요. 있잖아요, 처음 보더라도 왠지 마음을 푸근하게 해 주는 사람, 무슨 말을 해도 다 받아줄 거 같은 그런 사람이 있어요. 아저씨가 바로 그런 사람처럼 보였어요. 그래서 내 맘대로 찧고 까불었던 거예요."

여자의 목소리가 차분해졌지만 나는 여전히 찜찜했다. 이렇게 찜찜한데 나는 왜 자리를 박차고 일어서지 못하는가. 다른 때 같았으면 침이나 찍 내뱉고 훌훌 털고 일어났을 터인데, 무슨 이유로 처음 만난 여자의 아리송한 얘기를 들으며 죽치고 있는지 나 자신도 이해할 수가 없다.

그런데 문득 이 여자와 명순이의 모습이 겹치고 있음을 깨달았다. 나는 지금 부산에 있는 동생 명순이를 생각하며 이 여자를 바라보고 있는 거였다. 오늘도 먼지가 뿌옇게 피어오르는 어둠침침한 공장에서 삐걱거리며 돌아가는 낡은 기계 앞을 지키며 콜록콜록 기침을 하고 있을 명순이의 얼굴이었다, 이 여자는.

명순이는 늘 잠이 모자란다고 하면서도 눈빛은 밝고 생기가 돌았다. 힘든 생활을 전혀 내색하지 않고 악착스럽게 살아가고 있다. 맞는다. 모질게 살고 있다. 고집스레 끈질기게 살고 있다. 명순이의 생활은 악착스럽다는 표현이 제일 적합하다. 너무 안타깝고 가슴 아픈 동생이다.

가랑잎 같은 고깃배를 타고 바다에 나갔던 부모님이 풍랑에 휩쓸려 한꺼번에 세상을 뜨면서 우리 남매는 졸지에 의지할 데가 없어졌다. 명순이가 중학교에 다닐 때였는데, 나는 친구 형에게 부탁해서 일자리를 얻었고, 그다음 해에 명순이는 옆집 언니를 따라 부산에 있는 작은 공장에 취직을 했다. 그때부터 명순이의 생활은 고생길이었다. 그렇지만 내 앞에서는 전혀 힘든 내색을 보이지 않았다. 오히려 저금통장에 불어나는 돈이 재미있다며 늘 밝게 웃었다. 내 걱정은 하지 말고 오빠 결혼할 생각이나 해. 남들한테 장가도 못 간 늙다리 오빠가 있다고 말하기는 싫으니까. 지난 추석에 만난 명순이는 해해거리며 농담까지 했다.

그렇지만 이 여자에게서는 밝은 표정을 볼 수가 없다. 깔깔거리며 웃기는 하지만 몸 전체가 허전하고 어둡다. 찌들게 힘든 생활 속에서도 밝은 표정을 잃지 않는 명순이와는 사뭇 다르다. 그런데도 왜 이 여자와 명순이의 모습이 겹쳐 보이는 걸까. 아마도 나 자신이 외롭기 때문일지 모른다는 생각이 얼핏 스친다. 그래, 맞다. 나는 지금 외롭다. 미칠 듯이 외로웠고 지금도 외롭다. 애써서 누르고 있던 외로움이 불쑥

대가리를 내민다.

내일이면 설날인데도 다른 사람들처럼 찾아갈 고향이 있는 것도 아니고, 헤어져 있던 가족들을 만나 그동안의 얘기를 정답게 주고받을 수 있는 그런 처지도 아니고, 그래서 내 가슴속에 답답한 외로움이 자리를 잡고 있었던 거다. 그런데 나처럼 외로워 보이는 이 여자를 보자 하나밖에 없는 핏줄 명순이의 얼굴이 겹쳐진 거다.

여자는 무언가 깊은 생각에 잠긴 듯 술잔만 빤히 내려다보고 있다. 밤새도록이라도 그렇게 앉아 있을 것만 같은 여자를 보고 있자니 갑자기 깊은 바닷속에 빠진 것처럼 몽롱해진다. 어깨를 으쓱 추어올리며 오뎅 국물을 후루룩 소리 내어 마셨다. 비로소 여자가 고개를 들었다.

"화났어요?"

나는 대답 대신 고개를 가로저었다.

"아무 말도 하지 않으니까 꼭 화난 사람 같아요."

여자가 배시시 미소를 지으며 고개를 돌렸다.

"그게 아니라, 아가씨가 뭔가 골똘히 생각하는 거 같아서……."

"생각은 아저씨가 더 많이 하는 거 같던데요? 무슨 생각했어요? 아까 저 아줌마랑 고향 얘길 하던데, 혹시 가지 못한 그 고향 생각했어요?"

"내 고향은 없는 거나 마찬가진데."

"왜요?"

"태어나고 자란 곳은 있지만 거긴 아무도 없으니까."

"부모님은요?"

"돌아가셨지. 배를 타고 나갔다가 갑작스런 풍랑에 변을 당하셨지. 나는 고향을 떠났고, 그래서 아무도 없는 그곳을 고향이라고 생각하지 않아."

"그럼 무슨 생각을 하고 있었어요?"

"내 동생."

"동생이요?"

"부산에 있지. 이번 설에는 오지 못한다는 전화를 받았는데, 솔직하게 말해서 아가씨와 함께 있으니까 동생이 보고 싶어졌어."

"부산 사람을 만났나 보죠, 동생이?"

"결혼이 아니라 공장에 다니고 있지."

여자가 매우 당혹한 표정을 지었다.

"미안해요, 아저씨."

"아가씨가 미안할 건 없어요. 날마다 마음 아파하는 건 아니니까."

"그래도 오늘 같은 날은……."

여자가 말을 끊고 술잔을 집어 들었다.

"그런 얘긴 그만두고 술이나 마셔요, 우리."

"그럽시다."

나도 여자를 따라 잔을 집어 들었다.

"자, 오늘 밤을 화끈하게."

"그럽시다, 화끈하게."

잔과 잔이 부딪쳤고, 나는 잔을 단숨에 비웠다.

그때 오뎅이 끓고 있는 솥에 국자를 넣고 휘휘 젓고 있던 주인아주머니가,

"처음 만나는 사람끼리 아주 죽이 척척 잘도 맞는구먼. 도통 무뚝뚝하기만 하던 총각이 오늘은 아가씨 비위를 척척 맞추니 이게 웬일이야?

하며 맥없이 웃었다.

"아이구 아주머니, 괜히 생사람 잡지 말아요. 내가 어디가 무뚝뚝하다고 그러는 겁니까? 나처럼 사근사근한 사람 있으면 나와 보라고 해요."

나는 온몸으로 나른하게 번진 술기운을 핑계로 주인아주머니에게 농을 했다. 사실 여기 포장마차에 오는 날은 마음이 울적할 때가 많았고, 마음이 울적하다 보니 누구를 상대

로 말을 섞는 것이 귀찮았다. 이따금 손님이 없어 무료해진 주인아주머니의 말 상대를 하는 게 고작이었다.

“그럼, 사근사근하지 않구?”

“하하하, 그만하세요.”

그 입에서 무슨 소리가 나올지 몰라 손을 내저으며 커다랗게 웃어넘겼다.

“아가씨, 이 총각이 보기엔 무뚝뚝해도 본심은 아주 착하기만 하다우.”

이번에는 주인아주머니의 눈길이 여자를 향했다.

“저한테는 무뚝뚝하게 뵈지 않는데요.”

“이렇다니까, 글쎄. 죽이 척척 맞는다고 했더니 어느새 편까지 드는구먼. 내가 보기엔 천생연분인 거 같으니까 잘해 보구랴.”

“아니, 언제부터 아주머니가 중매쟁이로 나섰습니까?”

얘기가 이상하게 돌아간다고 생각하며 주인아주머니의 말을 가로챘다.

“왜 나는 중매쟁이 노릇 하면 안 되는감? 보기에 하두 좋은 짝이 될 거 같아서 해 본 소리구먼.”

입심 좋은 주인아주머니가 또 무슨 엉뚱한 말을 할지 몰라 신경을 곤두세우고 있는데 다행히 왁자지껄하게 떠들며 손님들이 들이닥쳤다. 이런 씨X, 거 날씨 한 번 드럽게 춥네. 손님 중 하나가 몸을 부르르 떨며 투덜거렸다. 그러게 새꺄, 그냥 집구석에 틀어백혀 있으라구 했잖아. 뒤따라 들어서던 사내가 킬킬거렸다. 수염을 깎지 않아서 그런지 얼굴이 꽤 지저분하게 보이는 사내였다.

"신경 쓰지 마쇼."

여자의 빈 잔을 채워 주며 내가 말했다.

"신경 쓰지 않아요. 저런 사람들은 흥미 없으니까."

여자가 사내들을 곁눈질하며 속삭였다.

"그런 뜻이 아니라, 저 아주머니가 한 말에 신경 쓰지 말라는 건데."

"알았어요. 그치만 아저씨가 무뚝뚝해 뵈지 않는다고 한 말은 거짓말이에요. 무뚝뚝하다 못해 멋대가리가 손톱만큼도 없어요, 아저씨는."

"이거 어떡해야 무뚝뚝하다는 말에서 벗어날지 모르겠네. 내 이래 봬도 우리 공장에선 제일로 친절하고 사근사근하다는 말을 듣는 사람인데."

나는 일부러 과시하는 몸짓으로 크게 웃었다. 여자가 따라서 웃는가 싶었는데 금세 입을 다물고 고개를 숙인다. 둘 사이에 또다시 침묵이 내려앉는다. 침묵과 동시에 여자의 온몸이 허전함으로 둘러싸인다. 나는 여자가 먼저 입을 열 때까지 기다리기로 했다.

이런 씨X, 그 드런 새끼들 땜에 우리 모두가 욕을 먹는다구. 지들이 뭐 잘났다구 뻗대냔 말야. 뻗대 봤자 공돌이 주제에 뭐 뾰죽한 수가 있냐? 그저 공장장이 말하는 대로 했어야 되는 거야.

사내들이 둘러앉은 쪽에서 투덜투덜 볼멘소리가 들렸다. 아까 날씨가 춥다고 투덜거리던 사내였다. 사내는 이런 씨X을 입에 달고 사는 모양이었다.

그래도 새꺄, 그런 놈들이 있으니까 높은 새끼들 맘대로 하지 못하는 거야. 공돌이들도 뻗댈 땐 뻗대야 된다구. 너처럼 높은 새끼들이 말하믄 그저 죽여 줍쇼 하구 굽신거려 봐라. 평생 그 새끼들 밑이나 닦다가 죽는 거다.

얼굴이 지저분한 사내가 짓궂게 빈정거렸다.

이런 씨X, 그 뻗대는 새끼들 땜에 오늘 같은 날 고향에두 못 가구 이렇게 쏘주나 까구 있는데, 그래두 넌 뭐가 좋다고 그 새끼들을 감싸고 도냐?

투덜거리는 사내가 언성을 높였다.

야 임마, 높은 새끼들 생색낼라구 주겠다는 쥐꼬리만한 보너스 몇 푼 타 가지구 고향에 가믄 뭐가 그리 좋겠냐? 그렇게 되믄 그동안 뻗대든 게 도로아미타불이 되고 만다는 걸 높은 놈들은 다 알고 있는 거라구. 우리가 ○빠지게 일하믄 그에 맞는 대가를 받아야 되는 거 아냐? 이제 며칠만 더 머리띠 동여매구 버티믄 지들도 두 손 들고 말 거다.

얼굴이 지저분한 사내는 여간해선 흥분하지 않는 듯 차분하게 말했다.

"우리 공장도 저러다가 문 닫았어요."

갑자기 여자가 고개를 들었다. 나는 여자의 말뜻을 몰라 그저 바라보기만 했다.

"나도 공순이였거든요. 그런데 오늘부턴 공순이 신세에서 벗어났네요. 까짓거 그만뒀어요. 이번 설날엔 밀린 월급은 물론, 얼마 되지는 않겠지만 보너스도 줄 테니까 참아 달라고 하던 사장이 갑자기 없어졌어요. 자금이 돌지 않는다고 죽는소리를 해 대더니 감쪽같이 사라졌지 뭐예요."

"조그만 공장이었나 보네."

여자의 얘기를 듣고만 있을 수 없어서 말참견을 했다.

"그렇게 작지도 않아요. 나 같은 아가씨들이 열 명, 그리고 고등학생 또래의 남자애들이 다섯 명이었으니까."

"하기는 요즘 큰 공장이나 작은 공장이나 다 힘들다고 하니까……."

"힘들면 그만둬야지, 이렇게 사람들 마음을 아프게 하는 법이 어딨어요?"

말을 하다 말고 여자가 한숨을 내쉬었다.

"그래서 아가씨 모습이 허전하게 보인 거네."

"그래요. 지쳐서 그랬어요. 그러니까 내가 이상한 여자로 보인 게 맞죠. 사장이 나타날 때까지 기다리자고 공장에서 버티고 버텼는데 결국 무너졌어요. 지친 여자애들이 힘없이 하나둘 빠져나갔죠. 할 수 없이 나도 고향이나 내려가야겠다고 나왔는데, 글쎄 어이없게도 바다나 한 번 보고 가자 하는 생각이 드는 거였어요. 왜 그런지는 몰라요. 그냥 불쑥 바다가 생각나더라구요. 그런데 막상 바다를 보고 있자니 내가 싫어지고 고향도 귀찮아지고……. 그래서 소주나 한 잔 마시자고 여기 들어왔어요."

"찾아갈 고향이 있으면 됐지."

"가야죠. 부모님들은 나만 보면 남들처럼 배우지도 못하고 객지에서 죽도록 고생만 한다고 안달복달 속을 태우는데 그래도 부모님이 있는 고향이니까 가기는 가야죠. 이 못생긴 얼굴이나마 보여 드려야죠. 그리고 다시 와서 새 일자리 찾으러 다녀야죠."

나는 여자에게 그 어떤 위로의 말도 해줄 수 없어서 빈 소주잔을 든 채 머뭇거렸다.

"참, 아저씨네 공장에선 나 같은 여잔 안 쓰나요?"

여자가 장난스럽게 말하며 트렁크를 집어 들고 발딱 일어서더니,

"이제 그만 갈래요. 술 잘 마셨어요."

하고는 대꾸할 틈도 주지 않고 돌아섰다. 나는 잠깐 동안 망연하게 앉아 있다가 급히 술값을 치렀다.

거리는 여전히 황량하고 을씨년스럽다. 저만큼 앞에서 트렁크를 든 키 작은 여자가 천천히 걸어가고 있다. 어깨가 축 늘어져 보인다. 나는 여자의 걸음에 보조를 맞추며 느릿하게 뒤따랐다. 정류장에서 잠시 망설이는 듯 멈칫하던 여자가 몸을 홱 돌린다. 뒤따르는 것을 들킨 나는 그만 멈칫 섰다. 여자가 강종강종 뛰며 팔을 흔든다.

"뭐해요, 빨리 오지 않구? 시내까지만 버스 같이 타고 가요."

쨍 하는 소리가 귓전을 때렸다. 바닷바람이 휙 하고 얼굴을 할퀴며 지나간다.

설사(泄瀉)

오늘의 주인공 정구만 선생이 약간 상기된 얼굴로 교문을 들어서자 기다리고 있던 사람들이 우르르 달려들며 선생을 뺑 둘러쌌습니다. 행사 시작 시각은 바짝바짝 다가오는데 정작 행사의 주인공이 아무런 연락도 없이 나타나지 않아서 초조한 마음으로 발만 동동 구르며 기다리던 동료 선생들입니다.

"어떻게 된 거예요?"

"아, 전화라도 한번 해 주시지 않구……."

"빨리 교장실로 들어가 보세요. 교육청 장학사님도 아까부터 기다리고 계십니다."

정구만 선생이 나타나지 않는 이유를 나름대로 추측하며 기다리던 선생들이 이제는 안심이 된다는 듯 저마다 한 마디씩 떠들어 댑니다.

"축하합니다, 선생님."

"오늘은 진짜 감사한 날이네요."

"어쩜 선생님은 옛날 모습 그대로세요."

선생의 제자들도 여럿 와 있었는데 그 제자들도 다투어 나서며 떠들어 댔어요. 그렇지만 정구만 선생은 그들의 얘기는 듣는 둥 마는 둥 건성으로 고개를 끄덕여 주고, 운동장에서 줄지어 서 있는 아이들을 쭉 훑어보고는 곧바로 교장실을 향해 걸음을 옮겼습니다. 기다리고 섰던 선생들과 제자들이 멋쩍은 얼굴로 주춤주춤 뒷걸음으로 물러났습니다.

여기까지 얘기를 들으면서, 도대체 오늘이 무슨 날인데 그러느냐, 주인공 어쩌고 하는데 무슨 재미난 연극이라도 하는 날이냐, 하고 궁금하게 생각할 겁니다. 그 궁금증을 빨리 풀어 드리고 얘기를 계속 이어 나가겠습니다. 정구만 선생이 오늘의 주인공이라고 한 것은 다름이 아니고, 그가 평생을 바쳐 근무하던 학교를 떠나는 의미 있는 날이기 때문입니다. 즉 정구만 선생이 정년퇴임을 하는 날이란 말입니다.

학교에서는 정구만 선생의 정년 퇴임식을 거창하게 치르

기 위해 한 달 전부터 준비했고요, 연락이 가능한 선생의 제자들까지 불러서 드디어 오늘 국민학교 선생으로 외길을 걸어온 한결같은 그의 뜻을 기리기로 했던 것입니다. 그런데 퇴임식 시작 시각이 거의 다 되어 가는데도 오늘의 주인공인 정구만 선생이 나타나지 않았으니, 퇴임식을 거창하게 준비하고 아이들을 일찌감치 운동장에 도열시킨 선생들은 속이 타기 시작했지요.

정말 속된 말로 똥줄이 탔습니다. 거 좀 기다리면 되지 뭐 그렇게 똥줄까지 탈 게 있냐고 할지 모르지만, 그러는 데에는 다 이유가 있습니다. 그 이유가 뭐냐 하면, 집으로 전화를 해 보아도 소용이 없었다는 말씀입니다. 신호는 가는데도통 전화를 받는 사람이 없었던 거지요. 게다가 누구의 입에서부터 나왔는지는 몰라도, 정구만 선생이 며칠 전부터 정년 퇴임식 준비를 못마땅하게 여기며 그냥 조용히 현직에서 물러나는 것이 좋겠다는 뜻을 비치더라는 얘기가 잔물결처럼 번지자, 퇴임식 시작을 기다리며 모여 있던 선생들과 제자들의 속이 바싹바싹 탄 거지요. 어쨌든 오늘 행사의 주인공인 정구만 선생이 나타났으니 다행이라고 생각하며, 선생들은 이미 정해져 있는 자리로, 그리고 제자들은 자리가 정해져 있지는 않지만 이쯤에 서 있으면 되겠구나 싶은 자리로 흩어졌습니다.

정구만 선생이 막 현관을 들어서는데 서무실에서 창밖을 주시하고 있던 사환 아이가 급하게 마주 나왔습니다.

사환 아이는 수줍은 듯이,

"선생님, 이 꽃……."

하며 정구만 선생의 윗도리에 카네이션 꽃을 꽂아 주었는데, 수줍어하는 그 얼굴은 이미 카네이션 꽃잎처럼 빨갛게 물들어 있었습니다.

"꽃은 무슨……."

정구만 선생은 윗주머니에 꽂힌 카네이션을 빼내려다가, 사환 아이의 동그란 눈과 마주치자 올렸던 손을 슬그머니 내리면서 빙긋 웃어 주었습니다. 카네이션이 딱 한 송이인 것을 보면 이 꽃은 학교에서 마련한 것이 아니라 사환 아이가 혼자 준비한 정성이 분명하다고 생각했지요. 그래서 정년퇴임이라고 해서 유난스레 꽃을 꽂고 어쩌고 하는 것이 못마땅하기는 했지만, 차마 그 아이의 순수한 정성을 뿌리칠 수 없어서 그대로 꽂기로 하고 고맙다는 말 대신 빙긋 웃어 준 것입니다. 그러나 빙긋 웃었다고는 하지만 사실 빙긋 웃는다는 말에서 느껴지는 만큼 그렇게 밝은 웃음이 되지는 못했어요. 그런데도 사환 아이는 밝지 못한 선생의 웃음이 아마 정년퇴임에 대한 쓸쓸한 마음 때문이라고 여겼는지, 아니면 밝은 웃음과 밝지 못한 웃음의 미묘한 차이를 눈치채지 못했는지, 하여튼 수줍게 고개를 살짝 돌리더니 복도 쪽으로 강중강중 뛰어갔습니다.

교장실 문을 밀치고 들어서자 커피를 마시며 한가하게 잡담을 나누고 있던 교장과 장학사, 육성회장, 그리고 손님으로 온 이웃 학교 교장 몇이 동시에 일어났습니다. 그들은 아주 다정한 얼굴로 정구만 선생의 손을 차례로 잡고 흔들었습니다. 그중에서도 교육청에서 나온 장학사는 유별나게 잡은 손을 흔들어 대더니,

"이거 정 선생님 같은 원로가 떠나시게 되니 교육계로서는 큰 손해가 아닐 수 없습니다."

하고 자못 아쉽다는 표정을 지었습니다. 정구만 선생은 장학사의 그 인사치레가 왠지 낯간지러웠습니다. 그래서 장학사가 잡은 손을 슬그머니 빼면서,

"손해는 뭐가 손핻니까? 고물은 하루라도 빨리 엿을 바꿔먹든지 내다 버리는 게 상책인데, 나 같은 고물이 눌어붙어 있으면 오히려 교육 발전을 가로막는 거지요."

라고 평소에는 하지 않던 농을 던졌는데, 딱딱한 자세로 농을 하고 나니까, 상대방이 받아들일 때 어째 배배 꼬는 말

투로 여겨질 것만 같아서 어정쩡한 얼굴이 되고 말았습니다. 어정쩡한 얼굴이 되기는 장학사도 마찬가지였어요. 아마 그 말을 어떻게 받아들여야 할지 곰곰이 생각하는 눈치였습니다. 바로 그때, 정구만 선생의 뜻하지 않은 농담으로 인해 분위기가 어색해지려는 찰나, 분위기를 눈치챈 교장이 특유의 너털웃음을 터뜨리며 두 사람 사이를 끼어들었어요.

"하하하, 골동품은 오래될수록 대접도 받고 값도 더 나가는 거 아닙니까? 이왕에 늦었으니 장 선생님이 커피라도 한 잔 드신 다음에 식을 시작하도록 하지요."

교장이 골동품 타령을 하는 게 비위에 좀 거슬리기는 했지만 자기를 조롱하거나 폄훼하려는 의도가 있다고는 생각지 않았으므로, 그리고 또 이미 자신이 고물이라고 선언한 터에 골동품이라 한들 뭐가 문제냐 하는 심정이 되어, 정만구 선생은 교장의 말을 못 들은 척하고 소파에 털썩 주저앉았습니다.

그렇다고 분위기가 금방 바뀌지는 않았습니다. 교장실은 한동안 침묵이었어요. 아까 현관에서 카네이션을 꽂아 준 사환 아이가 녹차를 가져오고, 그 아이는 정구만 선생이 커피를 마시지 않는다는 사실을 잘 알고 있었으므로 녹차를 가져왔는데, 선생이 호로록거리며 그 뜨거운 차를 마시고 있는 동안 아무도 입을 열지 않았지요. 다만 교장 옆에 앉아 있던 육성회장이 무슨 말을 할 것처럼 입술을 달싹거리다가 분위기가 워낙 어색하니까 그만 고개를 돌리고 말았습니다.

이미 경험을 통해서 아는 사람은 다 알고 있는 거지만, 참으로 침묵이라는 게 답답한 것이어서, 서로 얼굴만 멀뚱멀뚱 쳐다보며 아무 말도 하지 않고 앉아 있자면 그 답답함 때문에 자기도 모르게 몸이 뒤틀리게 마련인데, 그런데 교장실에 있는 사람들 모두가 몸이 뒤틀리는 것을 겉으로 드러내지 않으려고 애를 쓰고 있으니 그 모양이 정말 가관이었지요. 장학사는 무슨 중요한 일을 잊기라도 했다는 듯 두꺼운 수첩을 뒤적이며 심각한 표정으로 고개를 갸웃거리고, 교장은 콧잔등에 걸친 돋보기를 손가락으로 밀어 올리며 오늘 퇴임식에서 읽을 원고를 건성으로 들여다보고 있고, 다른 한쪽에서는 창밖의 하늘만 멀뚱멀뚱 쳐다보며 입맛을 쩝쩝 다시고 있었습니다.

바로 이렇게 답답하고 어색한 침묵의 분위기에서 그래도 먼저 말문을 튼 사람은 교장입니다. 건성으로 들여다보고 있던 원고를 접어서 양복 안주머니에 집어넣더니,

"정 선생님, 낼부터는 아무래도 갑갑하실 겁니다."

하며 싱겁게 웃었습니다.

뜬금없는 교장의 말에 모든 시선이 교장에게로 쏠렸는데, 교장이 하는 말의 대상이 정구만 선생이라는 점에서, 교장에게 쏠렸던 그 모든 시선이 이번에는 정구만 선생 쪽으로 향했습니다. 정구만 선생도 어색한 분위기에서 자기를 건져 준 교장에게,

"그렇죠. 집에서 노는 게 코흘리개 놈들하고 씸박질하는 그런 재미만 하겠어요?"

하고 교장의 말을 순순히 수긍했습니다.

"씸박질하는 재미요? 역시 교육계의 원로답게 재치 있는 말씀입니다, 하하하."

교장은 과장되게 너털웃음을 웃었습니다. 정구만 선생은, 교육계의 원로는 무슨 얼어 죽을 원로냐, 하고 속으로 코웃음을 쳤어요. 그렇지만 어쨌든 교장의 사교적 능력은 알아줘야 한다고 생각했습니다. 교장의 너털웃음 덕분에 어색했던 분위기가 봄바람에 눈 녹듯 사르르 풀렸고, 행여나 심상찮은 일이 벌어지지나 않을까 걱정하며 신경을 곤두세우고 있던 사람들의 얼굴도 환하게 풀렸기 때문이지요. 아마 제일로 마음이 풀린 건 장학사였나 봅니다. 수첩만 열심히 뒤적이던 그가 탁 소리가 나도록 손바닥으로 무릎을 치면서 교장을 따라 커다랗게 웃음을 터뜨렸거든요.

"그나저나 문제가 커요."

고개를 뒤로 젖히며 웃던 장학사가 갑자기 웃음을 딱 멈추더니 정색을 하고 말했습니다. 아닌 밤중에 홍두깨라고 이건 또 무슨 귀신 씻나락 까먹는 소리인가 하고 사람들의 시선이 일제히 장학사에게 꽂혔어요. 자기에게 쏠린 시선을 느꼈는지 장학사는 손바닥으로 턱을 쓱 쓸어내리더니,

"뭐가 문제냐 하면 말씀입니다, 우리 선생들이 퇴직을 하고 나면 너나없이 하루아침에 폭삭 늙는다는 그 말입니다."

하고 자기가 툭 던진 말의 뜻을 설명했습니다.

그러자 교장이,

"장학사님 말씀이 백번 맞습니다."

하며 맞장구를 치더니 말을 이어 나갔어요.

"정 선생님이 애들하고 쌈박질한다고 하셨습니다만, 정말로 아이들하고 쌈질하며 지낼 때는 나이에 상관없이 정력이 철철 넘치지요. 그런데 막상 일손을 놓고 나면 맥이 탁 풀리고 의욕이 줄어드는 게 문제라는 말씀입니다. 그러니까 의욕이 줄어들지 않으려면 뭔가 가치 있는 소일거리가 있어야 하는데, 평생을 아이들 코 흘리는 것만 보고 지내던 사람들이라 마땅한 소일거리도 찾기 어렵고, 그러다 보면 마음이 늙고 마음이 늙으니 몸도 늙어 버리는 거지요. 자, 이제 그

만 나가십니다. 오실 분은 다 오신 거 같고……."

교장이 자기 스스로 그럴듯한 말을 했다고 생각했는지 흐뭇한 미소를 띠고 좌중을 둘러보며 일어섰습니다. 물론 정구만 선생도 그 뒤를 따랐죠. 통유리로 된 현관문을 나서는데, 이제나저제나 정구만 선생이 교장실에서 나오기를 기다리고 있던 몇몇이 축하한다는 말과 함께 꽃다발을 건네주었지만, 정구만 선생은 그 꽃다발을 건네준 사람이 무안할 정도로 표정의 변화가 없었습니다. 고맙다고 말하든지, 말은 하지 않더라도 고마움의 표시로 고개를 까딱 숙이든지, 이도 저도 아니면 그저 빙그레 웃어 보이기라도 했으면 좋으련만, 도대체 어찌 된 영문인지 정구만 선생은 오늘의 주인공답지 않게 얼굴이 딱딱하게 굳어 있었습니다.

그러나 기실 그 사정을 알고 보면 저절로 웃음이 나옵니다. 정구만 선생은 어젯밤에 한잠도 이루지 못했거든요. 이렇게 말하면 정년퇴임을 앞두고 마음이 싱숭생숭해서 그랬겠지 하고 지레짐작으로 판단할 분이 계시겠지만, 사실은 그놈의 원수 같은 설사 때문이었어요. 밤새도록 화장실을 들락거리느라고 한시도 눈을 붙이지 못했고, 그래서 온몸의 맥이 쑥 빠져나가는 바람에 남을 향해 웃어 줄 그런 기운이 남아 있지 않았던 거죠.

그러면 왜 그놈의 원수 같은 설사가 하필이면 어젯밤에 멈추지도 않고 쏟아졌느냐 하는 게 문젠데, 그것은 정구만 선생의 고질병이라 어쩔 수 없는 일이었습니다. 병원 의사는 그냥 신경성이니까 약을 좀 먹으면 나아질 거라고 대수롭지 않게 말했지만 그건 천만의 말씀이었어요. 조금이라도 긴장하거나 신경을 쓰면 영락없이 설사를 하니까 그건 의사의 말대로 신경성이 맞겠지요. 그렇지만 약을 좀 먹으면 나아질 거라는 그 말은, 의사가 들으면 벌컥 화를 내겠지만, 허무맹랑한 헛소리였어요. 아무리 약을 먹어도 통 낫지를 않으니 말이지요.

요즘 며칠을 두고 퇴임식 생각으로 신경이 곤두서고 초조감이 가슴을 내리눌러서 일부러 술을 피했지만, 엊저녁에는 아주 친하게 지내는 후배 선생들이 만든 술자리라 차마 거절하지 못하고 함께 어울렸습니다. 술잔을 기울이는 동안 고질병이 도질지도 모른다는 걱정을 끊임없이 했는데, 아니나 다를까, 잠자리에 들려는 순간 홀연히 뒤가 뭉클하더니 병이 도졌다는 신호가 왔고 다급하게 화장실에 들어가자마자 좍좍 쏟아지기 시작했습니다. 밤을 꼴딱 새우는 통에 몸이 축 늘어졌어요. 그래서 오늘은 특별한 날이라면서 며느리가 정성을 들여 각별하게 마련한 아침상을 드는 둥 마는 둥 얼렁

뚱땅 넘기고, 병원 문이 열리기를 기다리고 있다가 설사를 직방으로 낫게 해준다는 주사를 한 대 맞고 겨우 학교에 나타난 거지요. 자, 이제는 정구만 선생이 왜 많은 사람을 초조하게 기다리게 하고, 왜 많은 사람의 축하 인사에 일일이 웃음으로 답하지 못했는지 그 이유를 아셨을 겁니다.

운동장에는 끼리끼리 어울려 재잘거리던 아이들이 퇴임식의 사회를 담당한 선생님의 호령에 맞추어 제법 질서정연하게 도열을 했습니다. 교장 선생이 단상으로 올라가자고 손을 내밀었지만 정구만 선생은 단상에 올라가는 것이 별로 마음에 내키지 않아서 잠깐 멈칫했어요. 남들보다 특별한 열성을 기울인 것도 아니고, 그렇다고 누구에게 빈정거림을 당할 만큼 게을리한 것도 아니고, 그야말로 지극히 평범한 국민학교 선생이었는데, 이제 나이를 먹어 법령에서 정한 대로 교육 일선에서 물러나는 마당에 떡하니 단상에 올라가 근엄한 표정으로 자리를 차지하고 앉아 있기가 거북했던 것입니다. 그렇지만 어쩔 수 없는 경우라서 정구만 선생은 교장에게 꾸벅 허리를 굽혀 예를 표하며 단상으로 올라갔습니다.

어쨌든 식은 진행되었습니다. 사회를 맡은 선생이 한평생 국민학교 선생으로 한눈팔지 않고 외길을 걸어온 정구만 선생의 정년퇴임식이라고 할 때에는 단상에 있는 사람들이나 운동장에 있는 사람들이나 모두가 약간은 숙연해지는 표정을 지었습니다. 그러나 그런 어려운 말을 이해하지 못하는 아이들은 자기들끼리 팔꿈치로 툭툭 건드리기도 하고 히히거리기도 하며 장난을 쳤는데, 아이들의 그런 순진한 모습을 바라보는 정구만 선생의 가슴에는 형언할 수 없는 사랑스러움이 물결치듯 일렁거렸습니다.

참으로 사랑스러운 아이들이었습니다. 거짓으로 꾸밀 줄도 모르고, 남을 시기할 줄도 모르고, 세상일에 절망할 줄도 모르는 천진한 아이들이었습니다. 파란 하늘처럼 늘 싱싱한 희망을 안고 살며, 이른 아침 풀잎에 맺힌 이슬의 청초함을 닮아서 이웃의 아픔을 함께 나눌 줄 아는 순수함을 지닌 아이들이었습니다. 그런 아이들의 눈동자가 자기를 꼭 붙잡고 있었기에 다른 직업으로 눈을 돌리지 못했습니다.

그렇습니다. 정구만 선생이 다른 직업으로 한눈을 팔지 않고 오직 국민학교 선생으로 만족한 것은, 흔히 듣기 좋게 하는 말로 하늘이 정해 준 직업, 즉 천직으로 생각했기 때문에 그런 것도 아니고, 또 우리나라 교육 발전에 이 한 몸 아낌없이 바치겠다는 투철한 사명감 때문도 아니며, 그렇다고 남들보다 능력이 모자라고 주변머리가 없어서도 아닌, 오로지 아이들의 순수한 눈동자를 사랑한 그 마음 때문이었습니다.

어느새 오늘의 주인공 정구만 선생의 경력 소개가 끝났습니다. 뭐 특별히 소개할 경력은 없었습니다. 그거야 당연하죠. 교장이나 교감도 아니고 일개 평교사로 정년을 맞는 선생의 경력이야말로 뻔한 거 아닙니까. 처음에 어느 국민학교에서 시작하여 이러저러한 학교를 돌아다니며 근무했고, 선생이면 누구나 받을 수 있는 무슨무슨 공로상을 받았다는 소개가 고작이었어요. 다만 수상 경력을 소개할 때는 하찮은 것까지 일일이 소개하여 시간을 좀 끌었는데, 이는 평교사의 정년퇴임에 온 손님들이 정구만 선생에 대해 무능하다는 편견을 가질지도 모른다는 생각에서 나온 사회 보는 선생의 배려였습니다.

다음은 교장 선생이 한마디 하는 순서가 됐습니다. 흔히 하기 좋은 말로, 떠나보내기 싫은 사람을 어쩔 수 없이 보낸다, 비록 몸은 떠나지만 마음만은 떠나지 말고 항상 같이 있어 주길 바란다, 하는 그렇게 판에 박은 송별사를 하는 순서지요. 교장은 안주머니에서 원고를 꺼내고 돋보기를 콧등에 걸치더니 크음 헛기침을 하며 도열해 서 있는 아이들을 쭉 훑어보았습니다. 그 바람에 웅성거리던 아이들이 조용해졌지요. 교장은 또 한 번 헛기침을 하고 나서 원고를 읽기 시작했습니다.

"……오늘은 참 섭섭한 날입니다. 왜냐하면 우리와 함께 아이들을 가르치고 우리와 함께 머리를 맞대고 교육 발전을 논의하던 정구만 선생님이 안타깝게도 교직을 떠나시는 날이기 때문입니다."

정구만 선생은 속으로 픽 웃었습니다. 지난번 교장으로 정년을 맞은 친구의 퇴임식 때 들었던 그 퇴임사에서 정구만이라는 이름만 바꾸면 획 하나 점 하나 틀리지 않고 똑같았기 때문입니다.

"……선생님은 일찍이 우리나라에 있어서 초등 교육의 중요성을 깨달으셨습니다. 그래서 평생을 초등 교육에 몸 바쳐 헌신하겠다는 사명감을 가지고 교직에 첫발을 내디딘 이후 오늘에 이르기까지 온갖……."

교장의 얘기를 듣던 정구만 선생의 미간이 순간적으로 찌푸려졌습니다. 갑자기 뒷머리가 쭈뼛하더니 속이 뒤틀리고, 이어서 뒤가 무지근해지며 설사가 쏟아질지 모른다는 불안감이 몰려왔습니다. 순전히 교장의 말 때문입니다. 교장의 말이 사실과 달랐기 때문에 어찌할 바를 모르고 신경이 곤두선 겁니다.

고향에서 농업고등학교를 마친 정구만 선생이 교직에 발을 디딘 동기는 교장이 말한 것처럼 그런 사명감이 아니었습니다. 그것은 우연이었습니다. 몇 마지기 되지는 않지만 대대로 물려온 논에 매달려 흙을 파며 그럭저럭 지내겠다고 작정하고 있었는데, 고향의 학교에서 교편을 잡고 있던 친구가 우연한 기회에 선생이 될 것을 권유했고, 연수를 받고 자격증을 딸 수 있도록 이것저것 직접 챙겨 주었습니다. 그 당시에는 전국적으로 학교 선생이 특히 국민학교 선생이 턱없이 모자라서, 일반 고등학교를 졸업한 사람도 일정 기간의 연수를 받으면 교사 자격증을 딸 수 있는 교원양성소 제도가 있었습니다. 그러니까 정구만 선생이 교직에 들어선 것은 그 무슨 투철한 사명감이 있어서가 아니라 전적으로 우연이었으며, 수입이나 대우 등 모든 면에서 시골구석에 파묻혀 농사를 짓는 것보다는 훨씬 낫겠지 하는 기대감에서 비롯된 것입니다.

그렇다고 정구만 선생에게 교육에 대한 철학이나 투철한 사명감이 전혀 없다는 얘기가 아니라 처음에는 그랬단 말입니다. 따라서 초등 교육의 중요성을 깨닫고 평생을 아이들 교육에 헌신하겠다는 마음으로 교직에 첫발을 내디뎠다는 교장의 말은 선생의 사정을 알지 못해서 나온 거짓말이고, 그런 거짓말을 듣는 순간 모여 있는 사람들의 얼굴을, 더구나 아무것도 모르면서 도열해 있는 아이들의 얼굴을 보기가 민망해서 자신도 모르게 긴장이 되었고, 그러자 고질적으로 잠재되어 있던 설사에 대한 강박관념이 고개를 쳐들기 시작한 것이지요. 실로 낭패였습니다. 아직도 행사가 끝나려면 멀었는데 자꾸만 뒤가 무지근해지며 신경이 쓰이니 큰일이었죠. 앉은 자세에서 엉덩이만 옴찔옴찔할뿐 어찌해 볼 도리가 없었습니다.

교장의 얘기가 바야흐로 무르익어 가고 있는데 오늘의 주인공인 정구만 선생이 슬그머니, 아니 어쩌면 부리나케 단상을 내려간다고 상상을 해 보십시오. 정구만 선생의 화급한 사정을 모르는 교장은 당신이 무시를 당하고 있다는 생각에 얼굴이 붉으락푸르락할 것이고, 단상과 운동장에서 교장을 주목하고 있던 사람들은 이 이상한 광경, 전혀 예기치 못했던 기이한 광경을 자기 나름대로 엉뚱하게 추측하며 수군거릴 것이고, 그러다 보면 퇴임식은 자연 흐지부지 엉망으로 끝날 것임은 불을 본 듯 뻔한 거 아닙니까. 그러니 어쩌겠습니까. 달리 어떤 뾰족한 수가 없으니 엉덩이만 옴찔거릴 수밖에요. 이런 사정을 알 턱이 없는 교장의 축사는 청산유수로 계속되었습니다.

"……선생님께 배운 제자들은 참 많습니다. 그런데 그 제자들 모두가 다 훌륭하게 되었다고 나는 확신합니다. 또한 그 제자들은 선생님을 잊지 못할 것이라고도 생각합니다. 왜냐하면 선생님은 남달리 높은 인격을 갖춘 분이기 때문입니다. 선생님께서는 항상 인자함으로 제자들을 대하셨고 항상 사랑으로 교육에 임하셨습니다."

정구만 선생은 교장이 제자들 얘기로 말머리를 돌리자 조금은 마음이 놓였습니다. 제자들을 생각하면 조마조마한 설사 걱정에서 풀려날지도 모르니까요. 물론 제자들은 많지요. 반평생을 아이들 가르치는 일로 보냈는데 제자들이 많다는 얘기는 하나마나한 잔소리지요. 그렇지만 막상 제자들을 생각하려니까 별로 특별난 제자는 없습니다. 뭐, 무슨 은행 지점장이 됐다는 제자도 있고, 의사가 되었다는 제자, 어느 대기업 계열회사의 간부가 되었다는 제자가 있기는 하지요.

그러나 그런 소식은 거의가 다 바람결처럼 남을 통해서 들은 것입니다. 직접 찾아와서 제가 이렇게 잘된 것은 다 선생님의 가르침 덕분입니다 하고 인사했던 제자는 몇 되지 않습니다. 요즘 세상은 부모나 스승에 대한 고마움을 느끼기보다는 다 자기가 잘나서 그렇게 크고 그렇게 출세했다는 생각이 만연된 세상이라, 어쩌다가 스승에 대한 고마움을 느끼는 제자가 있다손 치더라도 겨우 고등학교 때, 그것도 졸업반 담임만이 고마운 스승인 줄로 여기는 것이 고작인 거 같습니다. 이렇게 얘기하니까 정구만 선생이 자기 제자들을 모두 은혜도 모르는 형편없는 인간으로 매도하는 것 같지만 그건 아니고, 세상이 하도 복잡하게 돌아가고 하루가 다르게 변하다 보니 거기에 맞춰 살아가는 동안에 형성된 어쩔 수 없는 가치관의 변화라 여기고 있습니다.

"……선생님이 걸으신 교사의 길은 그리 순탄치만은 않았습니다. 어려운 일도 많았고 괴로운 일도 많았을 거라는 말씀입니다. 열악한 교육 환경 때문에 어려움을 겪었을 것이고 또 개인적으로는 가정을 이끌어 나가시는 중에 큰 어려움도 있었을 것입니다. 그런 가운데에도 선생님은 오직 외길을 걸으셨으니 그 숭고한 교육애는 우리 모두가 존경해야 하겠습니다."

교장이 자기도취에 빠졌는지 그 목소리가 점점 높아졌습니다. 교장의 말대로 정구만 선생의 삶이 결코 순탄치만은 않았습니다. 어차피 살아가는 행로가 험난한 바다를 헤쳐 나가는 것과 같다고 하는데 정구만 선생이라고 어려운 풍랑 한 번 겪지 않고 여기까지 왔겠습니까. 그럴 리는 없지요. 그중에서도 가장 견디기 어려웠던 풍랑은 인생의 반려자였던 아내가 죽고, 아내의 죽음이 가져온 허망함과 슬픔을 견디려고 술에 젖어 지내던 때인 거 같습니다. 지금까지 얘기하는 동안 정구만 선생의 아내에 대한 대목이 없었던 것은 그의 아내가 이미 세상을 떴기 때문입니다. 그렇지 않았다면 오늘 같은 날은 정구만 선생이 당연히 아내를 앞세우고 왔을 것이고, 당연히 아내에 대한 얘기도 자연스럽게 나왔을 테지요.

아내의 죽음은 너무나 허망하고 슬펐습니다. 남들처럼 호강 한번 시켜주지 못하고, 병들어 골골댈 때 변변한 치료는 커녕 위로의 말조차 해주지 못했기 때문에 더욱 그랬습니다. 빠듯한 살림에도 불평 한마디 없던 아내였습니다. 남편이라는 사람이 학교 일이 바쁘다는 핑계로 늘 가정에 등한해도 도무지 잔소리를 모르던 아내였습니다. 제 몸은 조금도 위할 줄 모르고, 번듯하게 치장 한번 해 본 적 없이, 몇 푼 안 되는 월급을 쪼개고 쪼개서 오로지 남편을 떠받들며 자식들 키우는 재미로 살아가던 아내였습니다.

그랬는데, 그토록 착하기만 한 살림꾼이었는데, 어느 날 덜컥 암이라는 고약한 놈이 몸 전체에 번졌다는 청천벽력 같은 선고를 들었습니다. 벼락이 치며 하늘이 무너져 내리는 무서운 선고였습니다. 도대체 하늘은 그 위에서 무엇을 보고 있기에 착하기만 한 아내를 데려가려 하느냐고 원망도 수없이 했습니다. 그러나 아무리 하늘에 대고 원망을 퍼부은들

어찌할 도리는 없었습니다. 기적적으로 암을 극복했느니 어쨌느니 하는 사람들도 더러 있기는 했지만, 그 기적이 날이면 날마다 일어나는 일은 아니어서, 정구만 선생의 아내는 기적을 바라는 가족들의 염원에도 불구하고 기어이 세상을 뜨고 말았습니다.

에라, 이 지지리 복도 없고 못난 여편네야. 겨우 이렇게 살다가 황망하게 갈 것을 뭐가 그렇게 안타깝다고 애태우면서 그 고생을 했노?

정구만 선생이 아내를 산에 두고 돌아오는 길에 가슴이 찢어지는 슬픔을 견디지 못하고 내뱉은 말입니다. 정말 지지리 복도 없이 살다가 황망하게 갈 걸 왜 그토록 애태우면서 고생만 했는지, 먼저 간 아내가 야속했습니다.

아내의 죽음 말고 또 하나의 견디기 힘들었던 어려움은, 한참 오래전의 일이기는 하지만, 교감으로 승진해야 하는 시기에 그 승진의 운이 비켜나가면서 동료 선생들의 쉬쉬하는 비웃음을 감내하는 일이었습니다. 남들은 듣기 좋은 말로 그까짓 교감이 무슨 대수냐, 오롯하게 평교사로 몸을 바치는 일이야말로 진정 숭고한 일이지 그까짓 교감이나 교장 노릇을 한들 뭐가 달라지느냐, 퇴직하고 나면 다 그게 그거 아니냐고 위로했습니다만, 정구만 선생으로서는 견디기 힘들었던 게 사실이었습니다. 더구나 양성소 출신이라는 점이 핸디캡이 되어 승진 점수가 아쉽게 모자랐다는 말을 듣고는 이럴 줄 알았으면 진작에 사범학교에 갈 걸 하면서 되지도 않을 후회가 들기도 했죠.

서양의 헨리 반 다이크라고 하는 사람은 무명 교사를 예찬한다는 글을 써서 선생들의 마음을 다독거려 주었습니다. 나는 무명 교사를 예찬하는 노래를 부르노라. 전투를 이기는 것은 위대한 장군이로되 전쟁에 승리를 가져오는 것은 무명의 병사로다. 새로운 교육제도를 만드는 것은 이름 높은 교육자로되 젊은이를 올바르게 이끄는 것은 무명의 교사로다. 이런 글을 썼습니다. 그리고 글의 말미에, 두루 살피되 무명의 교사보다 예찬을 받아 마땅한 사람이 어디 있으랴, 라고 한껏 무명 교사를 추켜세웠습니다. 그렇지만 친구들이 하나 둘 교감이나 교장으로 승진해서 관리자로 나가는 것을 보고 있는 상황이라면 아무리 무명 교사를 예찬하고 또 예찬한다 하더라도 마음이 편할 리 있겠습니까.

정구만 선생의 마음도 그랬습니다. 겉으로는 그까짓 게 뭐 그리 대단하냐고 태연한 척했지만, 속으로는 썩은 콩을 한입 씹었는데 뱉지도 못하고 삼키지도 못하는 그런 기분이었습니다. 누구를 붙잡고 하소연할 일은 더구나 아니어서, 오직

할 수 있는 일이란 퇴근 후에 시장 구석의 싸구려 포장집을 찾아가서 돼지 곱창을 안주 삼아 소주병을 비우는 게 고작이었습니다. 헨리 반 다이크라는 사람을 아무리 불러도 소용이 없었습니다. 이게 다 내 탓이지. 아무렴, 그렇고말고. 남들처럼 손바닥을 비비든가 발바닥을 비비든가 했으면 어떻게든 되지 않았을까, 하며 애꿎은 술잔만 노려봤습니다. 참으로 개떡 같은 기분이었지요.

드디어 청산유수처럼 이어지던 교장의 축사가 끝났습니다.

다음은 오늘의 주인공 정구만 선생이 한마디 하는 순서입니다. 철부지 아이들과 부대끼며 보냈던 지난날을 돌이켜보며 교직을 떠나는 심정을 털어놓는 차례지요. 따지고 보면 애매한 경우입니다. 지난날에 대해 너무 감상적으로 회고하면 초라하게 늙어 가는 모습이 되기 십상이고, 그렇다고 너무 홀가분한 마음으로 떠난다는 인상을 주게 되면 그동안 아이들에게 쏟았던 정성이 모두 가식적인 행동이었다고 비난을 받기 십상이니, 이런저런 오해를 받지 않으려면 정신을 바짝 차리고 요령 있게 말을 해야만 합니다. 그래서 정구만 선생은 며칠 전부터 곰곰 생각해서 마음에 드는 내용을 머릿속에 담아 두었습니다. 이제 그 내용을 머릿속에서 꺼내 너무 길지도 않고 너무 짧지도 않게, 또 너무 감상적이지도 않고 너무 삭막하지도 않게 말을 하면 되는 겁니다.

정구만 선생은 남들이 눈치채지 않게 엉덩이를 옴찔거려 보고는 천천히 몸을 일으켜 마이크 앞에 섰습니다. 그리고 아이들을 쭉 훑어보았습니다. 아이들의 눈이 일제히 정구만 선생에게로 쏠렸습니다. 그런데 그만 정신이 아뜩해졌습니다. 갑자기 머리가 어찔하며 심한 현기증이 일었습니다. 아, 저 아이들과 어떻게 헤어질 것인가, 저 순수하고 맑은 눈동자를 어떻게 잊을 것인가, 저 천진한 아이들에게 내가 과연 무엇을 해주었나, 이런저런 생각들이 뒤죽박죽 머릿속을 마구 괴롭혔습니다.

선생은 침을 꿀꺽 삼키며 억지로 정신을 수습하고 입을 떼었습니다.

"오늘이 정든 여러 어린이들과 헤어지는 날이라고 생각하니 무척 섭섭합니다. 여러 선생님들과 헤어지는 것도 섭섭합니다. 또한, 그러니까, 에, 또……."

선생이 돌연 말을 더듬었습니다. 눈앞이 캄캄해지더니 며칠 전부터 준비했던 얘기들이 하나도 떠오르지 않았습니다.

"오늘 그러니까……."

이마 위에 식은땀이 송골송골 맺혔습니다.

"에, 또, 그러니까 교육을 위해 변변하게 한 일도 없고, 그러니까…….”

선생은 마치 실어증에 걸린 사람처럼 에, 또, 그러니까, 를 반복하며 쩔쩔맸습니다. 말을 이어 나가기는 해야 할 텐데 도무지 적당한 말이 떠오르지 않는 것입니다. 자꾸만 긴장이 되고 그 긴장은 또 다른 긴장을 몰고 왔습니다. 손수건을 꺼내 이마 위에 맺힌 식은땀을 닦았습니다. 그러는데 교장의 마지막 얘기가 불쑥 생각났습니다.

평교사로 교실을 지키며 아이들을 가르치다가 이렇게 정년을 맞은 선생님의 헌신적인 교육애는 모든 사람이 존경해야 마땅합니다.

교장은 그렇게 말하며 축사의 끝을 맺었습니다. 교감이나 교장이 되지 못하고 평교사로 정년을 맞는 늙은 선생의 마음을 건드리지 않으려고 조심스럽게 한 말이지요. 평교사로 교실을 지키며 아이들을 가르치다가 이렇게 정년을 맞은 선생님의 헌신적인 교육애, 라는 말이 자꾸만 귓가에서 맴을 돌았습니다. 그런데 어쩌면 좋습니까. 이런 경우에는 도대체 어떻게 해야 하는 겁니까. 순간적으로 배가 뭉클하더니 부글부글 끓는 게 아닙니까. 이제는 엉덩이를 아무리 옴찔거리며 구멍을 막으려고 해도 소용없다는 신호입니다.

얼굴이 해쓱해진 정구만 선생이 허둥지둥 단상에서 내려

갔습니다. 영문을 모르는 모든 시선이 그 뒤를 따랐음은 물론이지요. 아이들도 서로 마주보며 웅성거렸습니다. 사회를 맡은 선생도 어쩔 줄 모르는 눈치였습니다. 그렇지만 정구만 선생은 전후 사정을 설명할 여유가 없었습니다. 급한 마음에 손수건으로 연신 이마의 식은땀을 닦았습니다. 현관 쪽에 서 있던 아들과 며느리가 걱정스러운 얼굴로 다가왔습니다. 정구만 선생은 손을 내저으며,

"걱정하지 않아도 된다."

하고는 화장실을 향해 냅다 뛰었습니다.

무슨 놈의 설사병이 이렇게 지랄 같습니까. 그리고 아무리 지랄 같은 설사병이기로서니 정말 이렇게 중요한 순간에 꼭 발작을 일으켜야만 하는 겁니까. 도무지 이해할 수 없는 고질병입니다.

"참말로 지랄 같다, 지랄 같애."

정구만 선생은 화장실 문을 와락 열어젖히며 소리를 질렀습니다. 눈물이 핑 돌았습니다.

비틀대는 거리

타악.

영주네는 둔탁한 소리가 나도록 거칠게 술잔을 내려놓는 석구를 걱정스럽게 바라봤다.

"아니, 석구 총각. 대낮부터 무슨 놈의 술을 그렇게 마셔? 기분 나쁜 일이라도 있는 거야?"

석구는 영주네가 걱정 섞인 얼굴을 바싹 들이대며 간섭하는 것이 귀찮아서 미간을 찡그리고는, 유리잔이 철철 넘치도록 소주를 따라 단숨에 털어 넣었다. 그리고는 퀴퀴한 냄새가 나는 열무김치를 우적우적 씹으며,

"걱정하지 마요. 술값 떼먹지도 않고 아주머니한테 주정도

하지 않을 테니까."

하고 퉁명스럽게 내쏜다.

"내가 술값 떼 먹히는 걸 걱정하는 줄 알어? 김치 쪼가리나 놓고 그 독한 소주를 맹물 마시듯 하니까 그러는 거지."

"젠장, 걱정 붙들어 매라니까 그러네. 이까짓 쐬주는 손가락만 빨아도 두 병은 거뜬하다구."

석구가 혼잣소리를 하며 힘없이 웃는다. 그 웃음이 슬프게 보여서 마음 한구석이 짠하다.

"그래도 술 자랑은 하는 게 아니래. 누구는 뭐 실수를 할라구 해서 하나? 다 술이 시키는 짓이지. 내가 늘상 말하잖어. 술이라는 게 원래 저울 눈금 같아서 한 잔 술에 왔다갔다 하는 거야. 저울 눈금 하나만 넘어가면 저울대가 기울 듯이, 정신이 말짱하다가도 자기 주량에서 한 잔만 더 들어가면 헤까닥 돌아 버린다니까."

석구는 영주네의 말은 아랑곳하지 않고 또 술잔을 들어 단숨에 들이켰다. 눈언저리가 화끈거리는데도 정신은 또렷하다. 아무리 술잔을 들어부어도, 그래서 술기운이 몸의 구석구석 실핏줄까지 스며들어도 영주네의 말처럼 그렇게 정신이 헤까닥 돌 것 같지는 않다. 그저 맹물을 넘기는 느낌이다. 숙취로 뒤틀리는 배를 움켜잡고 냉수를 벌컥벌컥 들이켤

때처럼 오히려 짜릿하고 시원하다.

어느새 술병은 바닥이 났다.

"하나 더 줘요."

빈 병을 들고 흔들며 석구가 술을 청했다. 목소리에 괴로움이 섞여 있다.

"맘이 괴롭다고 해서 그렇게 마셔대면 몸이 배겨나겠는가? 무슨 일인지 모르겠지만 그저 다 잊고 사는 게……."

갑자기 석구가 영주네의 말을 중동에서 싹둑 자르며 벌컥 화를 냈다.

"오늘은 잔소리가 너무 심하시네. 누가 걱정해 달래요?"

뜻밖의 짜증스러운 목소리에 영주네는,

"알았어, 알았다니까."

하며 부리나케 술병을 가져다 놓고는 앞치마를 쓱쓱 비비며 주방으로 훌쩍 들어가 버린다.

석구는 병뚜껑을 이빨로 까더니 아예 병나발을 분다.

짐을 잔뜩 실은 트럭이 덜커덩거리고 지나가더니 흙먼지가 일며 반쯤 열린 문틈으로 꾸역꾸역 들어온다. 그러나 흙먼지에는 관심이 없다. 아스팔트 위에서 풀썩거리는 흙먼지가 모두 들어와 술청을 뒤덮는다 해도 관심 밖의 일이다. 석구는 얼굴을 잔뜩 찡그렸다. 흙먼지 때문이 아니다. 온몸으로, 발끝에서부터 손가락 마디마디 사이로 분노가 스멀스멀 기어 나온다.

이 새끼, 잡히기만 하면 그 자리에서 칵 밟아 버릴 거다.

나발 불던 소주병을 목로 위에 팽개치며 석구는 빛바랜 사진 액자가 걸려 있는 벽을 향해 눈을 부라렸다. 현철이의 느물느물한 얼굴이 어른거린다. 놈은 경멸에 찬 눈초리로 조소를 흘리고 있다.

현철이는 석구가 고향을 뛰쳐나와 사귄 친구들 중에서 특별히 친한 놈이었다. 지난 이 년 동안을 같은 부서에서 일하며, 참 좋은 놈이라고 생각했다. 마음을 다 터놓고 지냈다.

겉보기에 놈은 무거운 해머를 들고 두꺼운 철판을 땅땅 두드릴 만큼 다부진 체격이 아니었는데도 체격과는 달리 전혀 힘들어하지 않고 맡겨진 작업량에 충실했다. 쇳가루가 풀풀 날리는 작업장에 들어서면 누구라도 얼굴을 잔뜩 찡그리게 마련이지만, 놈의 표정이 변하는 것은 한 번도 볼 수가 없었다. 쇠막대기를 절단하는 기계 소리와 철판을 두들겨 대는 해머 소리가 아무리 날카롭고 요란해도 놈은 태연하게 휘파람까지 불었다.

또한 놈은 입심도 좋았다. 휴식 시간에 친한 사람들끼리 모여 잡담을 시작하다 보면, 예를 들어 요즘 인기를 끌고 있는 여자 가수의 신상 명세라든가 텔레비전 연속극에 나오는 주인공의 운명에 대한 것들을 어느 틈에 놈이 도맡아서 이끌었다. 어디서 그렇게 풍부한 화제를 알아내고 있는지 모르지만, 하여튼 작업 시간을 알리는 벨 소리가 들리기 전까지는 얘기를 그칠 줄 몰랐다. 얘기가 절정에 다다라서 한참 흥미진진한 대목이 되면 은근히 상스러운 얘기를 풀어놓기도 했다. 짜증을 부리지 않고 일에 열중하는 태도와 풍부한 화제로 상대의 마음을 사로잡는 입심 때문에 놈은 언제 어디서나 동료들의 환대를 받았다.

석구가 공장에 취직해서 이틀째 되던 날에 놈이 먼저 악수를 청했다. 점심 식사를 막 끝내고 성냥개비로 이빨을 쑤시며 쉴 만한 적당한 자리를 찾기 위해 두리번거릴 때였다.

형씨, 한 공장에서 같이 일하게 된 것도 인연인데 우리 인사나 하고 지냅시다. 나, 현철이라고 합니다.

그러면서 손을 쑥 내밀었다. 석구는 불쑥 악수를 청하는 놈의 손을 쉽게 잡지 못했다. 이빨을 쑤시던 성냥개비를 슬그머니 뱉고 발로 짓밟으며 어정쩡하게 서 있었다.

뭘 그래요? 처음 보는 사람이 악수를 청하는데 그렇게까지 빡빡하게 대할 건 없지 않소? 악수부터 하고 잘 지내봅

시다.

그제서야 손을 맞잡았다. 부드러운 손이었다. 손바닥에 못이 조금 박혔을 뿐 쇠 다루는 막일꾼의 손이라고는 전혀 여겨지지 않는 부드러운 손이었다.

미안하게 됐습니다. 장석굽니다. 들어온 지 이틀밖에 되지 않아서 그런 거지, 빡빡하게 굴려는 의도는 없었으니 이해하십쇼.

하하, 누가 뭐랍니까? 그저 한 지붕 밑에서 쇳소리 들어가며 함께 지내야 할 처지니까 통성명이나 하나는 뜻이죠.

그렇게 해서 알게 된 놈이었는데, 그 이후로 쉬는 틈이 생길 때마다 고향 얘기는 물론 그동안 지내온 이런저런 사연들을 나누었다. 얼마 뒤에는 같은 또래끼리 꼬박꼬박 경어를 쓰는 게 어색하다며 서로 말을 트고 지내자는 제의를 놈이 먼저 해왔다. 석구는 흔쾌히 동의했다. 매우 화끈한 성격이라고 생각했다. 읍 소재지에 있는 종합고등학교를 졸업하고 집에서 빈둥거리다가 방위병 근무를 마치자마자 낯선 객지 생활을 시작한 석구로서는 마음을 터놓고 지낼 친구가 절실하게 필요한 때였다. 그래서 말을 트고 가깝게 지내자고 제의하는 놈이 여간 고마운 게 아니었다.

처음 배우는 공장 일이 서툴고 또 객지 생활이 익숙하지 못해서 맘고생이 이만저만 아니던 석구에게 놈은 많은 도움을 주었다. 해머로 철판을 내려칠 때 뼈빠지게 힘들이지 않아도 되는 요령을 알려 줬다. 또 일을 쉬는 날 아무런 계획 없이 길거리를 싸돌아다니거나 어두컴컴한 자취방에서 뒹굴지 않아도 되게끔 신경을 써 주었다. 그런 놈에게 석구는 고마움과 아울러 은근하게 존경하는 마음도 품게 되었다.

능글맞은 놈의 얼굴이 자꾸만 어른거려서 석구는 다시 병나발을 불었다.

그 새끼가 아주 처음부터 계획적이었어. 내 이 새끼를 잡기만 하면 빤빤한 상판대기부터 확 긁어놓을 거다,

파리똥이 주근깨처럼 닥지닥지 붙어 있는 낡은 바람벽에 대고 욕을 퍼부었다. 그때 라면 끓인 냄비를 들고 온 영주네가 술병을 낚아챘다.

"그만 마시라니까. 아무리 속상한 일이 있어도 낫살이나 먹은 사람이 말리면 듣는 척이라도 해야지."

"나 취하지 않았어요. 내가 언제 취하는 거 봤어요?"

"혓바닥 꼬부라지는 거 보니까 취했구먼. 그 시답잖은 소리 그만두고 어서 라면 국물이라도 마셔. 뜨건 국물이라도 들어가면 속이 좀 풀릴 테니까."

영주네는 대낮부터 술기운을 빌려 괴로움을 풀어내려고 애쓰는 석구를 측은하게 바라봤다. 제 분수도 모르고 외상술이나 흥청망청 퍼마시며 다니는 그였다면, 술 몇 잔에 취해서 고래고래 소리 지르며 객기를 부리는 싹수 노란 그였다면 이렇게까지 코끝이 싸하도록 측은한 마음이 일어나지는 않았으리라. 그러나 지금까지 보아 온 석구는 제법 심지가 깊었다. 제 몸 위할 줄도 알았고, 윗사람 공경할 줄도 알았고, 그 또래에서 툭하면 드러나는 철없는 혈기도 자제할 줄 알았다. 그래서 지금 그의 납득이 안 가는 이상한 행동이 몹시 측은하고 안타까웠다.

잠시 대화가 끊어졌다. 자동차의 경적 소리가 간간이 들려오지 않는다면 그림틀에 끼워진 한 폭의 정물화처럼 보일 터이다. 허탈한 얼굴로 빈 술잔에 시선을 고정하고 있는 석구라는 정물, 대낮의 따가운 햇살을 반사하며 간들거리는 길 건너 가로수 이파리들을 물끄러미 바라보는 영주네라는 정물은 마치 감각이 없는 물건처럼 미동도 없다. 삼각구도의 꽃병과 과일바구니를 그린 유화처럼 그들은 인물화가 아닌 정물화가 되어 앉아 있다. 그 정물들 사이로 파리 몇 마리가 날아다닌다. 열무김치 보시기에 걸쳐놓은 젓가락 위를 벌벌 기어다니는 놈도 있다.

정물화의 구도를 석구가 먼저 깨뜨린다. 영주네의 손에 들려 있는 술병을 보며,

"그거, 그 술병 이리 줘요. 아무래도 맨숭맨숭해서 못 견디겠어요."

하고 간절한 얼굴이 되어 사정한다.

"진짜 어지간히 고집도 세네. 속상한 일이 있으면 술이 아니라 얘기를 해서 푸는 게 제일이야. 나한테라도 얘기를 하고 나면 속이 좀 풀리지 않겠어?"

영주네가 흥분한 석구를 살살 달랜다.

"말로 해서 풀릴 거 같으면 내가 이러고 있겠어요? 괜히 웃음거리가 될 텐데."

"웃음거리는 무슨?"

영주네가 의자를 끌어당기며 바투 다가앉았다.

"내 이 새낄 잡기만 하면……."

석구의 입술이 파르르 떨린다.

"누구를?"

"현철이 그 새끼요. 미련하게 그 새끼한테 당했어요."

"현철이 총각? 그 총각하고는 제일 친하지 않았어? 그런데 그 총각한테 뭘 당했다는 거야?"

석구는 파르르 떨리는 입술을 깨물며 눈꼬리를 치켜올린

다. 분노를 토해 내는 표정이 역력하다. 놈과는 제일 친하지 않았냐는 물음이 가슴을 후벼 팠다. 제일 친한 친구여서, 속마음을 죄다 털어놓고 지내던 친구여서 배신의 아픔이 더욱 강한 것이다.

"싸웠는가?"

영주네의 물음은 걱정과 함께 호기심도 섞여 있다.

"아뇨."

"그럼?"

"그 새끼가 돈을, 내 돈을 몽땅 갖고 도망쳤어요. 그동안 모아놨던 돈을, 젊은 놈이 돈밖에 모른다고 빈정대는 소리를 들을 때도 꾹 참고 모아놨던 그 돈을 갖고 날랐단 말예요. 그 새끼가 처음부터 계획적으로……."

말을 채 맺지도 못하고 석구는 울부짖는 짐승처럼 우우우 무서운 신음 소리를 토하더니 목로에 얼굴을 처박고 말았다. 굳게 쥔 주먹이 부르르 떨린다.

"그게 정말이야? 그래서 그 총각이 요즘 뵈지 않는구먼."

영주네는 연민에 찬 눈빛으로 석구를 바라본다. 농담 한마디 허투루 하지 않고 착실하던 그가 분노를 이기지 못하고 부르르 떨며 안타까워하는 모습이 안타깝다. 그보다도 이제 조금만 더 고생하면 지긋지긋한 쇳가루를 마시지 않는 고향으로 돌아갈 수 있다고 입버릇처럼 말하던 젊은이가 이대로 주저앉는 건 아닌지 걱정이 되었다.

석구는 고향 얘기를 자주 했다. 사실 그가 말하는 고향의 풍경은 농촌이라면 어디에서도 볼 수 있는 지극히 평범한 모습이었다. 야트막한 산을 등지고 자리 잡은 마을, 그 마을 앞에 펼쳐진 논밭, 그 논밭을 뚫고 흐르는 시내, 또한 전설 하나쯤은 간직하고 있음직한 둥치가 아름이 넘는 늙은 느티나무, 이런 것들은 우리가 흔히 볼 수 있는 농촌의 풍경 아닌가. 그런데 석구는 오직 자기 고향만이 그러한 아름다움과 다정함과 평화로움을 가지고 있는 듯 누가 듣거나 말거나 제 흥에 겨워 떠벌리곤 했다.

고향 얘기를 하면서 자기의 포부를 덧붙였다. 마을에는 아직 개간되지 않은 야산들이 있는데, 그걸 조금 매입해서 과수 농사를 지을 심산이라고 했다. 무작정 집을 뛰쳐나올 때는 그저 흙이 싫고 농사일이 지겹다고 생각했지만, 막상 객지에서 쇳가루를 마시고 보니 흙이 그리워지고 고향의 따뜻한 인심이 가슴에 사무친다고 했다. 처음에는 손바닥만한 땅이면 어떠냐고, 열심히 일하면서 조금씩 넓혀 가는 재미도 그럴듯하지 않겠느냐 했다. 과수를 가꾸면서 양봉하는 친척에게 벌통을 하나 분봉 받으면 금상첨화가 아니겠느냐고 헤벌쭉하게 웃었다. 그러기 위해서 지금은 비록 고생이 되더라도 이를 악물고 돈을 모아 자기의 계획을 꼭 이룰 것이라고 장담하곤 했다.

그런데 그런 석구의 계획을 현철이가 비웃었다. 지금 생각하면 비웃은 게 아니라 석구의 굳은 심지를 들쑤셔 놓은 것이었다. 아무리 계획이 좋기로서니 손바닥만한 땅뙈기로 무얼 하겠느냐는 것이 놈의 의견이었다. 공장에서 받는 쥐꼬리보다도 못한 월급을 꼬박꼬박 모은다고 어느 세월에 과수원을 꾸릴 만한 땅을 마련하겠냐고도 했다.

그럼, 누가 돈뭉치 던져 주길 기다린단 말이냐? 저축을 해서 마련하면 그게 땅문서다, 하하.

석구가 이렇게 너스레를 떨면 놈은,

니 좋은 뜻과 생각은 알겠는데, 요즘 세상에 어린애한테 떡 떼어 주듯 야산을 찔끔찔끔 떼어서 팔 사람이 어디 있겠냔 말이지, 내 말은.

하며 진지한 얼굴로 말했다.

사실은 놈의 말이 맞았다. 석구의 생각이 기특하다고 해서 산자락의 한 귀퉁이를 손바닥만큼 떼서 팔 사람은 없을 것이었다. 그렇지만 사정을 하면 젊은 놈의 뜻을 알아주겠지

하는 느긋한 생각을 하고 있었다.

괜찮아. 자신이 있어.

허 참, 자꾸만 자신 자신 하는데, 어디 세상일이 자신 하나만 가지고 술술 풀리냐?

거기까지의 얘기로 끝을 맺었다. 석구는 자기를 그토록 절실하게 걱정해 주는 놈의 우정에 대해 고마움을 느꼈다. 자기를 들쑤시는 교활한 수작의 시작이라고는 눈꼽만큼도 생각하지 못했다. 그저 자기를 위해 주는 친구로서의 고마운 충고로만 생각했다.

그랬는데 달포쯤 전에 놈이 급하게 자취방을 찾아왔다. 막 자리를 펴고 누워 있을 때였다. 놈은 다짜고짜 함께 나가자고 잡아끌었다.

어딜 가는데?

서두는 품이 하도 이상해서 물었는데 놈은 대꾸도 없이 잡아끌기만 했다.

도대체 어딜 가는데 이렇게 야단스럽게 서둘러?

잔소리 말고 어서 따라오기나 해.

큰길로 나서자마자 놈은 택시를 잡았고, 택시를 내린 곳은 현란한 간판의 술집들이 늘어선 어느 좁은 골목이었다. 의아한 표정으로 엉거주춤하는 석구의 등을 놈이 밀었다. 홀의 맨 구석자리에서 사내 하나가 팔을 번쩍 치켜들며 아는 척을 했다. 그럴듯하게 넥타이를 매고 있었으나 그리 품위 있어 보이지는 않는 사내였다.

조그맣기는 하지만 자기 사업을 하는 친구야.

머뭇거리는 석구에게 놈이 사내를 소개했다.

반갑습니다. 이 친구에게 말씀은 많이 들었습니다.

사내가 석구의 손을 덥석 잡고 세차게 흔들었다. 좀 과장된 행동이라는 생각이 들었다. 사내는 석구를 힐끗 보더니,

사업은 무슨 얼어 죽을 사업이냐. 고물딱지 테레비나 고쳐서 먹고사는 게 사업이냐? 하하하."

하며 유쾌하게 웃었는데 놈이 사내의 어깨를 툭 치며,

그래도 전파사 간판 멋들어지게 걸어놓고 회전의자 돌리면 사업이지.

하고 거들면서 한바탕 웃음판이 벌어졌다. 석구도 덩달아 따라서 웃었다.

술이 서너 순배 돌고 분위기가 한결 자연스럽게 되었을 때 놈이 심각한 표정으로 입을 떼었다.

나, 공장 그만 둘란다.

석구가 놀라서 눈을 크게 떴다.

이젠 공장이 지긋지긋해서 정말 못 견디겠어. 이런저런 간

섭 받는 것도 싫고 앞날에 대한 기대도 없고……. 그저 나 같은 놈은 장사라도 하는 게 제격인데, 때마침 좋은 기회가 생겼어. 봉고차 하나 끌고 다니면서 기계 부속품들을 거래하는 건데, 거래처는 이 친구가 보장할 수 있다니까 걱정 없거든. 사무실은 나중에 잘 되면 그때 가서 차리고…….

놈은 사내를 바라보며 여유 있게 웃었다.

그때 사내가,

괜찮을 겁니다. 거래처는 나하고 특별한 관계가 있는 사람들이니까 끊어질 걱정은 없고, 또 이 녀석 수완이 보통은 넘으니까 거래처도 계속 늘어나겠죠. 이제 회사 관계자들하고 만나기만 하면 성사된 거나 다름없습니다.

하고 목구멍이 드러나도록 껄껄 웃으며 놈의 말을 받아 맞장구를 쳤다.

축하한다.

석구는 정말 잘된 일이라고 생각했다. 놈이라면 충분히 잘할 수 있을 거라고 믿었다. 그래서 놈이 하는 말을 죄다 믿었다. 봉고차는 중고로 하나 구했는데 자금이 좀더 있으면 좋겠다는 말을 믿었고, 시골집에서 갑자기 목돈을 마련하지 못해 일주일쯤 있어야 하는데 하루라도 빨리 회사 간부를 만나 계약을 성사시켜야 해서 똥줄 타게 급하다는 말도 믿었고, 얼마나 급하면 너한테까지 구차한 부탁을 하겠느냐고 머뭇거리면서 떠듬떠듬하는 말도 믿었다.

다음 날 저녁에 놈이 소주 한 병과 마른오징어가 든 비닐 봉지를 흔들며 찾아왔다. 석구는 돈이 든 봉투를 놈의 무릎 앞으로 밀었다. 놈은 고맙다는 말을 수없이 되뇌었다. 오징어를 고추장에 찍어 씹으면서 고마운 은혜를 절대 잊지 않겠다고 했다. 사나이라면 모름지기 의리가 제일이라며 앞으로도 의리에 살고 의리에 죽자며 술잔을 들었다. 석구는 놈의 흡족한 모습이 좋아서 소주 두 병을 더 사왔다.

그랬는데 약속한 한 주일이 지났는데 놈은 나타나지 않았다. 새로 시작한 일에 이것저것 챙길 것이 한두 가지겠나 생각하며 대수롭지 않게 여겼다. 두 주일쯤 지났을 때도 그랬다. 워낙 바쁘다 보니 그러겠지 했다. 그런데 한 달이 가까워지자 이상한 생각이 들었다. 아무리 정신없이 바쁘기로서니 지나는 길에 한 번쯤 들렀다 가지도 못한단 말인가.

놈의 자취방을 찾아가기로 했다. 의리에 살고 의리에 죽자고 했는데 친구를 믿지 못하는 거냐고 푸념을 늘어놓지 않을까 걱정이 되기는 했지만, 이상한 생각이 드는 마음을 억제하기 힘들었다. 그런데 놈의 자취방을 찾아간 날, 자신에게 파고들었던 이상한 생각이 공연한 것이 아니었음을 알았다. 자물쇠로 굳게 잠긴 놈의 자취방에서는 친구의 배신이 기다리고 있었다. 빼끔하게 열린 방문 틈새로 얼굴만 빼죽이 내민 주인마누라는 놈이 여러 날 전에 이사를 갔다고 알려 주었다.

뒤통수가 띵했다. 앞이 캄캄했다. 믿을 수 없는 일이 떡하니 버티고 있었다. 그렇게 마음을 주었던 친구라는 놈에게 배신을 당했다는 어이없는 사실에 다리가 후들후들 떨렸다. 굳게 잠긴 자물쇠에서 차가운 웃음소리가 들려왔다. 킬킬거리는, 경멸로 가득 찬 기분 나쁜 웃음소리였다.

어디로 갔는지 모릅니까? 혹시 편지 같은 걸 남겨놓지는 않았나요?

설마 하는 마음에 한 가닥 기대를 걸며 주인마누라를 향해 다급하게 물었다. 그러나 주인마누라는 그 한 가닥의 기대마저 사정없이 끊었다. 무표정한 얼굴로 고개를 가로젓더니 덜커덕하며 방문을 닫고 말았다. 가슴이 답답하게 막혔다. 모두가 계획적이었음이 분명해졌다. 그게 어떤 돈인데, 어떻게 해서 모은 돈인데. 석구는 똑같은 말만 되풀이하면서 답답하게 막힌 가슴을 탕탕 두들겼다.

술집에서 만났던 놈의 친구라는 사내를 찾아가기로 했다. 그날 밤에 나눴던 대화를 기억해 내며 전파사를 찾았다. 여유 있게 휘파람을 불면서 텔레비전을 뜯고 있던 사내는 석구를 얼른 알아보지 못했다.

어떻게 오셨죠?

사내가 장갑을 벗어 손바닥에 탁탁 털며 물었다.

저 모르시겠습니까? 현철이 친군데…….

아아, 내 정신 좀 봐. 이렇게 사람 보는 눈이 어둡다니까. 같이 술까지 마신 분을 몰라보다니, 이거 크게 실례를 저질렀습니다.

그제서야 사내가 호들갑을 떨며 악수를 청했다. 처음 만났을 때처럼 역시 과장된 몸짓이었다.

이리 앉으시죠. 가게가 원체 좁아터져서 엉덩이 붙일 데가 있어야지요.

그러면서 사내는 플라스틱 의자를 내주더니,

어쩐 일이십니까? 이렇게 제 집을 다 찾아오시고…….

하고 두 눈을 멀뚱거리며 의아하다는 표정을 지었다.

현철이를 만날까 해서요.

네?

사내는 무슨 영문인지 모르겠다는 듯 고개를 갸우뚱했다.

현철이가 여기 오지 않았나 해서 들렀습니다.

현철이요? 아이구, 그 친구 얘긴 꺼내지도 마십쇼. 그 친구 때문에 실없는 사람 된 생각을 하면 울화가 치밉니다.

그럼, 여기 오지 않았다는 말씀인가요?

오긴, 자기가 무슨 낯짝으로 여길 와요. 사람을 그렇게 망신시켜 놓구서. 글쎄, 회사 사람들하고 만나기로 약속을 해 놓고 나타나질 않는 거예요. 회사 사람들은 무슨 일을 이렇게 하느냐고 신경질을 부리고, 암만 기다려도 보증금 가지고 오겠다는 그놈은 나타나지 않고, 저만 괜히 중간에서 진땀을 뺐습니다.

그 이후론 만나지 못했나요?

만나긴 어떻게 만나요?

혹시 집으로 찾아가 보진 않았습니까?

집이 어딘지 알지도 못하지만, 집에까지 찾아다니며 애태울 그런 친구도 아닙니다.

저는 아주 친한 사이인 줄 알았습니다.

친하긴요? 그럭저럭 사귄 친구가 착실해 뵈길래 모처럼 좋은 길을 터주려고 했던 건데…….

사내는 불쾌한 낯빛을 하며 손사래를 치더니 손질하고 있던 텔레비전으로 눈길을 돌렸다. 그만 나가 달라는 뜻이었다. 석구는 할 수 없이 그 전파사를 나와야 했다. 울화가 치밀어서 견딜 수가 없었다. 우정이라고 굳게 믿었던 순수한 마음을 놈은 손바닥 뒤집듯 배신을 한 것이다. 아니, 이건 배신이 아니라 사기다. 처음부터 계획적으로 사기를 친 것이다. 교활한 수작으로.

"그렇다고 너무 상심하지 말어."

석구의 얘기를 듣던 영주네는 무슨 말로 위로를 해야 할지 몰라서 그냥 얼버무렸다.

"너무 억울해서 그래요."

석구가 한숨을 푹 내쉬며 빈 술잔을 집어 들었다.

"아픈 그 맘은 알지만, 빈속에 술만 들이붓는다고 일이 해결되겠나? 이럴 때일수록 맘을 잘 추슬러야지. 아닌 말로 매 맞은 놈이 다리 뻗고 잔다고 그저 편한 맘으로 기다려 봐. 제까짓 놈이 언제까지 숨어서 지낼 수 있으려고."

그때 석구가 불쑥 몸을 일으켰다.

"가야겠어요."

눈빛이 이글거렸다. 끓어오르는 부아를 삭이지 못하겠는지 입술을 꽉 깨물고 있다.

"어딜?"

아무래도 무슨 일이 일어날 것만 같아서 영주네가 근심스럽게 물었다.

"그 새끼한테 다시 가야겠어요."

"그 새끼라니……"

"전파사 하는 그 새끼 말예요. 유들유들하게 말하는 품이 아무래도 두 놈이 짜고 노는 거 같애. 가서 그놈 멱살을 틀어쥐고 다그치면 뭔가 나오겠지."

몸을 홱 돌린다. 휘청 허리가 꺾어지려는 것을 간신히 지탱했다. 다리를 옮겨 딛는 것이 아무래도 불안하다.

"걸어갈 수 있겠어?"

석구가 고개를 돌려 씨익 웃더니,

"걱정 붙들어 매라니까요."

하며 휘청휘청 밖으로 나간다.

길거리에는 자동차가 쌩쌩 과속으로 달리며 일으키는 바람에 흙먼지가 뽀얗게 일어난다. 그 흙먼지 길을 대낮부터 마신 강술에 취한 석구가 제멋대로 비틀거리며 쓸쓸하게 걸어가고 있다.

영주네의 안타까운 눈길이 몸을 잔뜩 웅크린 석구의 뒷모습을 따른다. 석구가 비틀거리는 걸음을 내디딜 때마다 아스팔트 길도 덩달아 비틀댄다.

저녁 어스름

그날, 긴 나무의자에 웅크리고 잠들어 있는 사람이 그 노인이라는 사실에 나는 깜짝 놀랐다. 봄이 되었다고는 하지만 아직 아침저녁으로 쌀쌀한 바람이 부는데, 노인은 허름한 잠바 차림으로 차가운 나무의자에서 몸을 잔뜩 웅크린 채 잠들어 있었다.

저녁을 먹은 뒤에 바람이나 쐬려고 운동 삼아 나서면 이따금 아파트 놀이터에서 만나곤 하던, 우리 집 바로 옆 동에 사는 노인이었다. 노인은 만날 때마다 불쾌한 낯빛으로 나무의자에 비스듬히 등을 기대고 앉아 있었다. 곁에 다가가면 솔솔 술 냄새가 풍겼지만 그렇게 역겨울 정도는 아니었다.

아이들의 재잘대는 소리가 왁자한 놀이터를 지그시 바라보는 눈빛이 한없이 온화해서 나도 모르게 마음이 끌리던 노인이었다. 얼굴에 깊이 팬 주름에서 평탄하지 못했던 세월의 아픔이 어느 정도 전해지기는 했지만 그래도 이제는 여유 있는 만년을 보내는 노인이라 생각했었다.

그런데 어둑해진 놀이터 구석에서 웅크리고 잠들어 있는 노인의 모습이 왠지 모르게 외로워 보였다.

"어르신, 그만 일어나시죠."

나는 노인의 검버섯 핀 얼굴을 가만히 내려다보다가 까닭없이 가슴이 먹먹해졌다.

노인을 급하게 흔들어 깨웠다. 노인이 몸을 한 번 뒤척이더니 눈살을 찌푸렸다.

"누꼬?"

노인이 하품을 길게 하면서 귀찮다는 듯 통명스럽게 물었다.

"접니다, 어르신."

"아니, 이게 누꼬? 옆집 선상님 아이가?"

나를 알아본 노인이 당황한 표정을 지었다. 그 표정이 어찌나 천진한지 꼭 어린아이의 모습과 같았다. 조금 전에 느꼈던 외로움은 전혀 느껴지지 않았다.

"예, 맞습니다."

"하이고, 이기사 부끄러버서 으째믄 좋겄노?"

노인이 겸연쩍어 하며 멋쩍은 웃음을 보였다.

"오늘은 다른 날보다 약주가 과하셨나 봅니다."

"그렇게 됐구마. 딱 한 잔만 더 한다는 게 그만……."

"무슨 좋은 일이라도 있으셨나 보네요."

내 물음에 노인은 수염이 까칠한 턱을 손등으로 쓱 쓸더니 빙그레 웃었다.

"늙은이가 무신 존 일이 있겄노. 그저 갑갑하이께 마신 거제."

"갑갑하시다뇨?"

"늙은이가 혼자 있으이께네 갑갑헐 수 백이 안 있나?"

그 말끝에 노인의 표정이 조금 어두워지더니,

"손자놈 가외 선상이 왔다캐서 나왔구마. 그란데 마땅히 갈 데두 없구 해서 술을 한 잔 마시다 보이께 경로당 황 영감이 시무룩한 낯짝으로 들어와서는 자꾸 한 잔만 더 하자꼬 하는 바람에 정신을 몬 채리고 이렇게 된기라. 황 영감이지 며늘아한테 싫은 소리 좀 들은갑더라."

하면서 가늘게 한숨을 내쉬었다.

노인의 주름진 얼굴 위로 잠들어 있을 때 보았던 외로움이 얼핏 스쳐 지나갔다.

"그러셨군요. 그래도 이젠 어르신 건강을 살피셔야 합니다. 갑자기 몸이라도 축나시면 회복하기 어렵습니다."

나는 술을 좀 줄이라는 말을 돌려서 했다. 그러자 노인은 알아들었다는 듯 고개를 끄덕였다. 다시 천진한 얼굴로 돌아왔다.

"알기는 알제. 그치만 인자는 내사마 허깨비가 된기라."

"아닙니다. 무슨 말씀을 그리 하세요? 어르신은 그 연세에 아직 정정하신 겁니다."

"그기 아이라. 아, 옛날 같았으믄 그까짓 막걸리 몇 잔에 이렇게 정신줄을 놓겄나? 나이를 먹어 논께 인자 심이 다 빠지고 허깨비가 된기지, 허깨비가."

노인은 멀리 하늘 끝으로 시선을 던졌다. 아마 젊은 시절 힘깨나 쓰던 한창때가 아련하게 떠오르는 모양이었다.

이따금 노인의 입을 통해서 들은 바에 따르면 노인의 젊은 날은 힘든 날이 훨씬 더 많았지만, 그러나 그 힘든 날들을 고생이었다고 생각하기보다는 누구나 겪는 세월의 과정이라고 치부하는 모양이었다. 돈이 되는 일이라면 닥치는 대로 했노라고 했다, 탄광 갱도에서 석탄 가루 섞인 밥도 먹어봤고, 바람 세차게 부는 부두에서 새우잠을 자며 하역 일도 해 보았고, 집 짓는 공사판에서 잡역부로 시작해서 나중에는 알아주는 미장이가 되었다고 했다. 그렇게 막일을 하면서도 남들보다 힘을 쓸 수 있어서 밥은 굶지 않았으니 그러면 된 거 아니냐고 했다. 노인은 자신의 지난날을 고생으로 여기지 않는다고, 누구라도 그 세월에는 그런 고생을 하지 않았느냐고 했다.

틈틈이 듣게 된 노인의 과거는 대충 이랬다.

그가 태어나고 어린 시절을 보낸 곳은 남쪽 지방의 아주 깊은 산골이었다. 장터엘 나가려면 까마득하게 높은 산을 둘이나 넘어야 하는 두메였는데, 머슴살이를 하는 아비를 따라 허드렛일을 하며 천하게 자랐다. 그는 아예 동네 머슴이었다. 동네 누구라도 그가 보이면 자기 집 머슴 부리듯 일을 시켰는데 주인집에서는 모른 척 눈을 감았다. 그의 아비는 그가 천대를 당하며 동네일을 거드는 것은 머슴의 자식으로서 당연한 이치라고 말하고 또 말해 주었다. 그래서 어렸을 때는 동네 사람들의 갖은 구박이 야속한 줄을 몰랐다. 귀에 못이 박히도록 듣고 또 들은 아비의 말대로 머슴의 자식은 당연히 그런 대우를 받는 것이라고 생각했다.

그러다가 가슴팍에 울퉁불퉁 근육이 붙고 힘깨나 쓰게 되면서부터 머슴으로 사는 자신의 팔자가 원망스러워지기 시작했다. 억눌렸던 자의식이 고개를 내미는 사춘기 무렵이었다. 똑같은 사람으로 태어나서 이렇게 모멸을 당하고 사는 것이 맞나 하는 회의에 빠지기 시작했다. 그래서 동네 사람들의 부당한 대우에 화가 나서 툴툴거리며 대거리를 하기도 했고, 늙은 아비에게 신세 한탄을 하며 불평과 푸념을 늘어놓기도 했다. 이미 늙어 쇠약해진 아비는 아직 꼭대기에 피도 마르지 않은 놈이 맞아 죽으려고 환장을 했나 보다고 오만상을 찌푸리며 지겟작대기를 휘둘렀다.

그는 동네를 떠나기로 작정했다. 어려서부터 천덕꾸러기로 자라 사람대접을 받아 본 적이 없는 자신의 신세가 불쌍하고 한심했다. 대처에 나가 품팔이를 한들 이보다 못하랴 싶었다. 그러던 어느 날 그는 한밤중에 늙은 아비에게조차 작별을 고하지 않고 산등성이를 타고 동네를 빠져나왔다. (사실 집을 뛰쳐나오게 된 데에는 자신의 기구한 팔자를 깨달은 것 말고도 주인집 딸과 관련된 그 어떤 사연이 있음을 얼핏 내비쳤는데 노인은 그 내막을 소상하게 밝히기를 꺼렸으며, 아비의 얼굴도 보지 못하고 떠난 불효가 평생의 한으로 남아 있다고 했다.)

난생처음으로 외지에서 혼자 살아가게 되었지만 앞날에

대한 두려움은 없었다. 전쟁이 휩쓸고 간 폐허로 인해 인심이 각박하다고는 해도 그런대로 견딜 만했다. 하루하루의 품팔이였지만 남들보다 곱절이나 힘을 쓸 수 있어서 먹고사는 걱정은 없었다. 여기저기 다니다 보면 힘을 팔 수 있는 곳은 많았고, 그는 힘을 아끼지 않고 닥치는 대로 일을 했다.

그가 처음으로 정착을 하면 좋겠다고 마음먹은 곳은 강원도 두메의 어느 탄광이었다. 그러나 그는 그곳에서 정착하겠다는 마음을 얼마 가지 않아 포기했다. 시커먼 석탄 가루를 뒤집어쓰고 하루 종일 막장에서 곡괭이질을 하는 것쯤은 그리 힘들지 않았다. 같이 일하는 사람들이 문제였다. 그들의 사는 모습이 도통 마음에 들지 않았다. 입으로는 뼈빠지게 고생해서 번 귀한 돈이라고 하면서도 어느 날 저녁이면 대처에 나가 술집 작부들을 희롱하며 밤새 흥청망청 뿌리고 돌아왔다. 처음에는 그들의 생활을 속으로 비웃었다. 그렇지만 자신도 그런 생활에 물들지 말라는 법이 없을 거라는 생각을 하니 더 이상 그들과 함께 할 수가 없었다. 미련 없이 탄광을 떠났다.

탄광을 떠나서 돌고 돌아 자리를 잡은 곳은 인천이었다. 하인천 부두 근처에 피란민을 중심으로 형성된 판자촌이 있어 거기에서 허름한 방 한 칸을 얻어 지냈다. 그런데 전쟁을 겪으며 정착할 곳을 찾아 유랑하던 가난한 사람들이 유난히 많이 몰려들어 북새통을 이루고 있었으므로 생각만큼 쉽게 일자리를 구하지 못했다. 일자리를 찾기 위해 이리저리 기웃거려 보았지만 번번이 허탕을 쳤다. 그러나 하늘이 무너져도 솟을 구멍이 생긴다고, 가진 돈이 다 떨어져서 은근히 걱정이 앞서던 때에, 난리 통에 허리를 다쳐 운신하지 못하는 주인 영감이 어떻게 손을 썼는지 그를 부두에서 하역하는 인부들 틈에 끼게 해 주었다.

하역일은 탄광에서 석탄 먼지를 뒤집어쓰는 일보다 훨씬 수월할 줄 알았는데 그게 아니었다. 하루 종일 등짐이나 어깨짐을 지고 분주하게 갑판을 오르락내리락하고 집에 돌아오면 허리가 끊어지는 듯하고 욱신욱신 쑤시지 않는 뼈마디가 없었다. 그렇지만 워낙 힘이 좋은 그였기에 얼마 지나지 않아 요령이 생기고 이력이 붙다 보니 그런대로 견딜 수 있었다. 딱히 더 좋은 일자리를 구하기도 어려운 입장이다 보니 그대로 눌어붙어 있는 게 상책이다 싶었다.

그렇게 지내던 어느 날, 뜻밖에도 여자와 아들을 한꺼번에 얻게 되는 기막힌 사건이 일어났다. 그때까지 그는 여자를 멀리하고 지내오던 터였다.(이 대목에서 늙은 아비를 뒤로 한 채 동네를 빠져나온 계기가 주인집 딸과의 그 어떤 사연

때문이 아니냐고 슬그머니 지나가는 말을 하듯 물었는데 노인은 가타부타 말이 없었다.) 부두에는 술집도 많고 그 술집에서 웃음을 팔며 술을 따르는 싸구려 작부들도 많았다. 가끔 동료 인부들과 어울려 찾아가는 술집에는 실눈을 뜨고 엉덩이를 실룩실룩 흔들며 노골적으로 꼬리를 치는 여자들도 꽤 있었다. 그래도 그는 간드러지게 아양을 떠는 그런 여자들을 두 눈 질끈 감고 외면했다. 굳이 평생을 혼자 살아가겠다는 마음이 있었던 건 아니지만 어쨌든 여자를 멀리하며 지냈다.

그런데 뜻하지 않게 여자가 굴러 들어왔다. 그 여자가 안고 있던 사내아이는 하늘이 내려준 복덩이였다. 그의 삶에 커다란 전환이 일어났다.

몸이 저절로 움츠러들던 유난히 추운 날이었다. 인근 섬으로 가야 하는 여객선의 발이 묶이고 부두 앞바다에 집채만 한 성엣장이 둥둥 떠다녔다. 매서운 칼바람이 휙휙 날카로운 소리를 내며 얼굴을 사정없이 할퀴었다. 더 이상 작업을 계속하는 것은 무리라고 판단되어 하역일은 중단되었다. 모처럼 작업이 일찍 끝났으므로 술집에 들러 막걸리 잔술로 언 몸을 녹이고 집으로 돌아가던 길이었다. 잘 하지도 못하는 콧노래를 기분 좋게 흥얼거리며 막 모퉁이를 도는데 무언가 발에 툭 걸리는 게 있었다. 흠칫 놀라 한 발짝 뒤로 물러났다. 큼직한 홑이불 꾸러미였다.

그런데 순간적으로 머리털이 쭈뼛 곤두섰다. 그 홑이불 꾸러미 속에서 괴이한 신음 소리가 가느다랗게 들리는 게 아닌가. 두근거리는 가슴을 진정시키기 위해 심호흡을 하며 조심스럽게 홑이불을 걷어 보니 귀신의 몰골로 산발을 한 여자가 웅크린 채 신음 소리를 내며 부들부들 떨고 있었다, 여자 혼자가 아니었다. 두어 살쯤 돼 보이는 사내아이가 여자의 가슴에 파묻혀 있었다. 아이는 이미 숨이 끊어진 듯 입술이 파랗게 질렸다. 앞뒤를 잴 겨를이 없었다. 서둘러 여자와 아이를 들쳐업고 단걸음에 집으로 뛰었다. 처음 당하는 일에 어떻게 해야 할지 도무지 난감했다. 그저 여자와 아이를 아랫목에 누이고 이불을 덮어 주는 수밖에 별다른 도리가 없었다. 다행히 한참 만에 숨이 멎었던 아이가 먼저 울음을 터뜨렸고, 그 울음소리에 여자의 얼굴에도 핏기가 돌기 시작했다. 축 늘어져서 힘없이 한숨을 내쉬는 여자를 보며 하늘이 도왔다고 생각했다.

여자는 자신의 얘기를 자세히 하지 않았다. 생목숨을 끊어 보려는 생각도 여러 번 했지만, 어린것에게 차마 무서운 짓을 할 수가 없어서 구걸을 하며 모진 목숨을 부지하던 중에 기진하여 쓰러지게 된 거라는 말만 겨우 했다. 그도 더 이상 묻지 않았다. 오죽 구차한 삶이었으면 그랬을까 싶어 입을 다물었다.

그는 갈 곳이 없다는 여자에게 그대로 눌러살아도 된다고 했다. 여자는 진심으로 고마워했다. 몸이 약해서 그렇지 마음씨 곱고 살림도 깔끔하게 잘했다. 아이도 붙임성이 있어서 재롱을 떨며 잘 자라 주었다.

그 일로 인해 그의 생활은 달라졌다. 사는 재미가 이런 것인가 하며 얼굴에 웃음이 그치지 않았다. 의지할 곳 없는 외로운 홀몸이었던 그에게 이제는 힘들여 돈을 많이 벌어야 하는 이유가 생긴 것이다. 선천적으로 병약한 여자를 위해서, 날이 갈수록 영리하게 성장하는 아이를 위해서 그는 몸을 아끼지 않았다. 남들이 말하는 행복이라는 것이 바로 이런 거로구나 하는 생각에 날마다 입이 함지박만큼 벌어졌다.

그러나 인간 만사가 새옹지마요 호사다마라고 하더니, 행복한 세월은 그리 오래가지 못했다. 아이가 학교에 들어가던 해에 여자는 죽고 말았다. 착하고 깔끔하기는 했어도 지병이 있어 늘 골골대더니 수술 한 번 받아 볼 엄두도 내지 못하고 어느 날 덜컥 저세상으로 떠난 것이다. 여자가 워낙 약해서 그랬는지 어쨌는지는 모르지만 여자는 그의 자식을 생산

하지 못했다. 그래도 괜찮았다. 여자의 아이가 복덩이였다. 만족했다. 비록 핏줄로 연결된 자식은 아니지만, 사랑은 핏줄보다 더 진했다. 사람들이 말하는 것처럼 눈에 넣어도 아프지 않을 자신의 새끼였다. 자신의 하나밖에 없는 아들이었다. 다른 여자를 들일 마음은 아예 들지 않았다. 오로지 아들의 뒷바라지하는 것을 낙으로 삼았다.

건축 경기가 좋은 시절에 그는 하역 일을 때려치우고 미장이가 되었으며 남부럽지 않게 돈도 모을 수 있었다. 게다가 외로운 가운데에서도 꿋꿋하게 자란 아들은 남들이 부러워하는 큰 회사에 여봐란듯이 취직을 했고, 대학까지 나온 유식한 며느리도 맞았다. 손자 녀석이 생겨 응석을 부리던 때가 엊그제 같았는데 어느새 손자 녀석의 머리가 커서 저 혼자 방을 차지하게끔 세월이 지났다. 생각해 보면 남들처럼 그리 잘 살아온 인생은 아닐지 몰라도 그렇다고 후회할 인생도 아니라며 허허 웃는 그였다.

"바람이 쌀쌀해졌는데 이젠 댁으로 들어가셔야죠?"

나는 하늘을 바라보고 있는 노인의 시선이 거두어지기를 기다리면서 입을 열었다.

"그래야제. 인자는 들어가야제. 며늘아가 걱정하믄서 기다리고 있을거구마."

노인이 몸을 일으켰다. 그런데 그만 노인이 기우뚱 비틀거렸다.

"너무 취하셨나 보네요."

나는 급하게 노인의 어깨를 부축했다.

"아이다. 취한 게 아이라 쪼매 어지러버서 그런기다."

노인이 순간적으로 어깨를 움찔거리더니 간신히 버티고 섰다.

"참말로 약주가 과하셨네요. 제가 댁까지 모시겠습니다."

"아이라캐도 그라네. 을매든지 혼자서 갈 수 있구마."

"아녜요. 제가 모시겠습니다."

나는 노인의 어깨를 부축한 채 걸음을 떼었다.

그런데 그 몸이 의외로 가벼웠다. 젊은 시절에 남에게 뒤지지 않을 만큼 힘을 썼다는 노인의 말로 미루어 아직까지 단단한 몸을 유지하고 있으려니 생각했는데, 생각과는 달리 좁은 어깨 근육이 말랑말랑하게 풀어지고 몸은 새털처럼 가벼웠다.

"허허, 이라고 있으이께 완전히 허깨비제?"

노인이 내 속마음을 읽었는지 공허하게 웃으며 고개를 돌렸다.

"연세가 있으신데요, 뭘."

나는 노인의 말을 부정할 수 없어서 그냥 얼버무렸다.

"허기사 나이가 가리키는 기라. 젊었을 때 아무리 심쓰고 튼튼했으믄 모하노? 나이를 먹으믄 모두가 다 허깨비가 되는 기제. 그라고 왕년에 심깨나 쓰지 몬하던 놈이 어디 있더나?"

노인의 말이 어쩐지 쓸쓸하고 공허하게 느껴져서 나는 대꾸를 하지 못하고 입을 다물었다.

노인은 당신 나름대로의 이유로 지쳐 있고, 그런 마음을 억제하기 힘들어서 술의 힘에 의지하는 것이라고 생각했다. 그러니까 그동안 노인과의 대화를 통해서 느꼈던 여러 가지, 즉 젊은 시절의 삶에 대해서 별로 후회하지 않는다든가 행복한 만년을 보내는 여유 있는 노인이라든가 하는 것들이 모두 다 나의 피상적인 판단이었다.

"몇 층까지 올라가야 합니까?"

나는 엘리베이터를 탈 때까지 줄곧 입을 다물고 있었는데, 엘리베이터 문이 닫히는 순간 몇 층까지 올라가야 하는지를 미처 물어보지 않았다는 걸 깨달았다.

"십일 층이구마. 우에서 아래를 내려다보믄 까마득한 기라. 내사마 아빠트 짓는 데를 따라댕겼으이께 벨거 아이라고 생각했는데, 막상 높은 데서 등 기대고 살아보이께 그기 아이라. 어찔어찔 어지러버서 눈까정 가물가물하는 기라. 그라이께 나이를 먹으믄 허깨비라카는 기 아이가. 예전 같았으믄 이런……."

노인의 한탄이 채 끝나기도 전에 엘리베이터가 멈췄다. 문 앞에서 노인이 은근하게 나를 바라봤다. 그 눈길이 여간 후덕해 보이는 게 아니어서 기분이 흐뭇해졌다.

"어서 들어가세요."

"그래야제. 오늘은 선상님이 참말로 고마운 기라."

"별말씀을 다 하시네요. 그런 말씀 듣자고 모시고 온 게 아닙니다."

나는 노인의 고맙다는 인사가 쑥스러워서 부축하느라고 잡았던 겨드랑이의 팔을 풀었다. 그러자 노인이 급하게 내 손을 꼭 쥐었다. 헤어지는 것이 무척 아쉽다는 듯이.

"으쨌든 고맙기는 고마운 기제. 요즘 같은 시절에 낫살 먹은 늙은이헌테 신경 씨는 사람덜이 있더나, 어디."

"반드시 그런 것만은 아닙니다, 어르신."

"아니긴 뭐가 아이가? 내사 아무리 배운 건 없다캐도 시상 돌아가는 사정이사 빤하게 뚫어본다카이. 그란데 선상님이라카니 뭣이든 물어보믄 안 되겄나?"

"무슨……?"

"선상님이믄 아는 게 많을테니깐에 대답해 줄 수 있을 거구마."

"글쎄요, 선생이라고 해서 특별히 아는 것 없습니다만, 말씀을 해 보시지요."

"우리 아가 이 늙은이를 멀리하는 이유를 아무리 생각해도 모르겠는 기라."

"……?"

나는 무슨 말인지 몰라서 멀뚱멀뚱 노인을 바라보기만 했다. 이마의 쪼글쪼글한 주름살이 눈에 가득 들어왔다. 이어서 노인이 한숨을 길게 내쉬었다.

"손자 놈이 벌써 이 할애비를 싫어하는 기라."

"싫어하다니요?"

"하, 고 녀석이 인자 머리통이 커졌다꼬 그라는지 도통 할애비한테 곁을 주지 않는고마. 지 혼자 방에 틀어백혀 나오지도 않고 뭣인들 얘길 할라캐도 쳐다보지도 않고 이기사 도무지 정을 주지 않는 기라."

나는 비로소 노인의 말뜻을 알아챘다. 늘그막에 든든한 의지가 될 줄로 알았던 손자 놈이 곁을 주지 않고 자꾸만 멀어져가는 것을 아쉬워하며 야속해 하고 있던 것이었다.

"품안에 자식이라고 하지 않습니까. 아이들이 커지면서 나름대로 자기 세계를 만들어 나가느라고 가족과는 잠시 멀어지기도 합니다. 그렇다고 의도적으로 가족의 관계를 멀리하는 건 아니지요. 이제 자기의 세계를 다 만들고 나면 어르신에 대한 관심이 전보다 더 커질 거예요. 너무 섭섭하게 생각하지 않으셔도 됩니다."

"내사마 무신 소린지 모르지만두 으쨌든 내 새끼는 내 새끼니까네 암만 봐도 이쁘기는 하제. 고 녀석이 재롱 피우든 걸 생각하믄 자다가도 저절로 웃음이 나오는 기라, 허허."

노인은 말 중간에 허허대며 낯빛을 바꾸더니 깜박 잊고 있었다는 듯 급히 벨을 눌렀다. 잠시 후에 문이 열리고 젊은 여자가 나타났다. 며느리인 모양이었다. 여자는 나의 부축을 받고 있는 노인을 보자 금세 미간을 찌푸리며 눈초리를 치켜떴다. 그러더니 아무 말도 없이 휑하니 몸을 돌려 안으로 들어갔다.

순간 몹시 무안했다. 당황스러웠다. 적어도 시아버지에게 이제 들어오시느냐는 인사 정도는 있어야 하지 않은가. 그러지는 못해도 처음 보는 나에게 어떻게 된 일이냐고 전후 사정을 한 마디쯤 물어보아야 하는 게 아닌가. 그런데 여자는 미간을 찌푸리며 귀찮다는 표정으로 몸을 돌려 안으로 들어가고 말았으니, 내가 어떻게 처신해야 할지 당황하지 않을 수가 없었다.

"하이고, 내가 술에 취했다꼬 며늘아가 화가 잔뜩 난 모양이라. 으쨌거나 들어가자. 들어가서 코피락두 한 잔 마시고 가야하지 않겄나."

내가 당황하고 있는 것을 알아차렸는지 노인은 내 손목을 잡고 허둥거렸다. 그 모습이 너무 초라해 보여서 눈을 질끈 감았다.

"그만 가야 됩니다. 하던 일을 그냥 놓고 나왔어요."

"그래도 그기 아이라. 내 집에 온 손님을 와 기냥 보내겄나. 퍼뜩 들어가자, 그만."

노인이 손목을 꽉 붙잡고 놓지 않았다.

"아닙니다. 오늘은 그냥 가고 다음에 어르신을 뵈면 제가 약주 대접을 하지요."

나는 잡힌 손목을 빼면서 문을 닫았다. 갑자기 쨍 하는 날카로운 여자의 목소리가 들렸다. 그 자리에 오래 있기가 민망한 노릇이어서 서둘러 엘리베이터에 올랐다.

오늘, 아내가 느닷없이 노인의 얘기를 꺼냈다. 나는 노인과 어정쩡하게 헤어진 그날 이후로 노인을 다시 보지 못하고 지냈다. 계속 바쁜 일이 이어지다 보니 별다른 생각도 없었다. 그랬는데 모처럼 골치 아픈 일에서 벗어나 일찍 퇴근을 하고 나른한 몸을 소파에 파묻고 있는 내게 아내가 노인의 얘기를 꺼낸 것이다.

나는 깜짝 놀랐다.

"당신 지금 뭐라고 했어?"

나는 귀를 의심했다.

"있잖아요, 요 옆 동에 사는 노인 말예요."

"그래, 그 노인이 뭐 어떻게 됐다고?"

"돌아가셨대요."

"뭐라고?"

"이 양반이 귀가 어떻게 됐나? 돌아가셨다구요."

아내가 돌아가셨다구요를 한 음절씩 끊어 말하면서 밉지 않게 눈을 흘겼다.

"정말이야, 그 말?"

"그렇다니까요. 그런데 당신이 왜 그렇게 놀라요?"

아내가 의아하다는 듯 나를 빤히 바라봤다.

"며칠 전 만났을 때까지만 해도 정정하셨으니 그렇지."

"그러니까 사람 일은 한 치 앞도 모른다는 거 아니우."

"참 별일도 다 있군."

나는 아내의 말이 믿기지 않아서 혼잣말을 중얼거렸다.

"그런데 말이우, 그 노인이 돌아가신 거에 대해서 수군수군 말들이 많습디다."

아내가 바투 다가앉으며 조심스럽게 말했다.

"무슨?"

"그 노인이 글쎄……, 아 됐어요. 그냥 말하기 좋아하는 사람들이 이러쿵저러쿵하는 거겠지, 뭐."

"무슨 말들을 하는데?"

"노인이 스스로……."

아내가 황급히 입을 닫았다. 그러면서 내 눈치를 흘끔 살폈다.

"그런 말 같지 않은 소리를……."

나도 모르게 소리를 팩 질렀다.

"진짜래요."

"누가 그래?"

"믿어지진 않지만 그런 얘기가 아파트에 짜하게 퍼졌습디다. 평소에 아들 내외하고 사이가 별로였는데 어쩌고저쩌고 그래요."

아내의 말을 듣다 말고 벌떡 몸을 일으켰다.

"당신, 아무것도 알지 못하면서 괜히 여편네들 입방아 찧는 데 기웃거리지 말어."

까닭 모르게 치미는 화를 내뱉으며,

"영안실이 어딘지 알 수 있을까?"

하고 아내에게 물었다.

"어딘지 알면 가 보려구요?"

"응."

"당신이 왜? 잘 알지도 못하면서……."

"며칠 전에 약속을 드렸는데, 약주 한 잔 대접하기로."

"그건 또 무슨 말이우?

아내는 도통 무슨 영문인지 모르겠다는 표정이다.

"아무튼 마지막 길에 인사라도 정중히 드려야 할 거 같아."

아내는,

"무슨 소릴 하는지 영 알 수가 없네. 그나저나 통장 여편네는 영안실을 알고 있으려나 모르겠네."

하고 혼자서 웅얼웅얼하더니 전화기를 잡아당겼다.

영안실 입구에서 잠깐 멈칫했다. 눅눅한 저녁 공기를 뚫고 향불 냄새가 그윽하게 코끝에 스민다. 비로소 노인의 죽음이 현실적으로 느껴졌다.

"어디가 특별히 편찮으신 데는 없었는데 그만……."

노인의 영정 앞에 향을 사르고 절을 마쳤을 때 검은 옷을 입은 상제가 죄지은 사람처럼 나직하게 기어드는 소리로 어물거리더니 말끝을 흐렸다. 나는 온화하게 웃고 있는 노인의 영정을 더 이상 바라보지 못하고 황급히 자리를 떴다.

그날 함께 들어가자며 손목을 놓지 않으려고 하던 노인의 팔을 냉정하게 뿌리치고 돌아선 것이 마음에 걸렸다.

들어가서 코피락두 한 잔 마시고 가야하지 않겠나. 내 집에 온 손님을 와 기냥 보내겠나. 퍼뜩 들어가자, 그만.

노인이 자꾸 팔소매를 잡아당기는 것만 같아 서둘러 영안실 계단을 빠져나왔다.

잿빛 하늘

김 노인은 아무래도 며느리의 얼굴을 마주 대하기가 민망해서 눈을 감고 말았다. 약사발을 들고 들어온 며느리가 어쩔 줄 모르고 엉거주춤 서 있다는 것을 뻔히 알면서도 차마 눈을 뜨지 못했다. 착하디착한 며느리가 무슨 말을 할까마는 그래도 김 노인은 며느리의 얼굴을 직접 대할 수가 없었다. 약봉지를 머리맡에 두고 그냥 나가 주기만을 바랐다.

그러나 며느리는 김 노인이 눈을 뜰 때까지 서 있으려는 모양으로 나가는 기척이 없다. 이럴 때 할멈이라도 있으면 좀 좋을까마는 그놈의 할망구는 뭐가 그리 급하다고 멀쩡한 영감을 두고 먼저 갔단 말인가. 괜히 있지도 않은 할멈을 원망했다. 곁에 있을 때는 잔소리가 너무 심해서 귀찮게 여기기도 했지만, 막상 하루아침에 갑자기 영구차에 실려 보내고 나니 가슴 한구석이 텅 비고 허전해서 불쑥불쑥 보고 싶어지는 할멈이었다.

"아버님, 약 잡숫고 기운을 채리셔야죠."

며느리가 조심스럽게 입을 떼었다.

"거기 두구 나가거라."

목침을 베고 모로 누운 김 노인이 눈을 감은 채 말했다. 그래도 며느리는 나갈 생각을 안 하고 김 노인에게 어서 약을 먹으라고 채근한다.

"약은 시간 맞춰 잡수셔야 해요."

"알았대두 그러는구나. 좀 있다가 먹을 테니 걱정하지 말구 나가거라."

그제야 며느리는 나갔다. 참으로 착한 며느리다. 요즘 같은 세상에 저런 며느리는 둘도 없지 싶었다. 형편이 그리 넉넉하지 않은 집에 들어와 얼굴 한 번 찡그리지 않고 묵묵히 집안일을 꾸려나가는 그야말로 복덩이였다. 어른 몰라보고 부모 섬길 줄 모르는 세상이라고 개탄하며 혀를 끌끌 차지만, 내 며느리만은 그런 세상인심과 다르게 어디에 내놓아도 흉잡아 나무랄 데 없는 효부라는 생각에 김 노인은 며느리를 볼 때마다 늘 가슴이 뿌듯했다.

김 노인이 머리를 싸매고 드러눕자 며느리의 끌탕은 이만저만이 아니었다. 영문을 모르는 며느리는 어서 큰 병원에 가서 정밀한 검사를 받아 봐야 한다고 서두르며 김 노인을 설득했다. 그러나 큰 병원에 가서 고쳐야 하는 속병이 있어 드러누운 것이 아니므로 김 노인은 그럴 필요가 없다고 며느리의 설득을 완강히 거절했다.

김 노인이 하도 고집을 부리자 나중에는 기운이 쇠해서 그럴지 모른다며 기를 보하는 데 좋다는 첩약을 지어 와서 정성껏 달였다. 보약을 먹는다고 나을 병이 아닌 줄을 뻔히 알면서도 김 노인은 며느리의 정성을 생각해서 고마운 마음으로 그 보약을 먹고 누워 지내는 중이다. 지금도 보약은 시간 맞춰 먹어야 좋다며 약사발을 들고 들어온 터이다.

아무라도 붙들고 가슴에 맺힌 속사정을 시원하게 털어놓으면 조금은 진정되지 않을까 생각도 해 봤다. 그러나 생각할수록 울화가 치밀어 오르는 이 기막히고 안타까운 사정은 누구에게도 털어놓는다고 해결될 일이 아니었다. 아들놈한테 털어놓아도 안 되고, 더구나 며느리에게는 눈치조차 보일 수 없는 일이었다.

이런 때 그 잔소리쟁이 할멈이 있기만 하면 할멈에게만은 모든 사정을 소상하게 다 말해도 됐을 텐데, 영감을 버리고 먼저 간 할망구가 자꾸만 원망스럽다. 내가 정신이 나갔지, 정신이 나갔어. 어쩌자고 아들한테도 내주지 않던 그 돈을 사기꾼에게 속아서 덜컥 내줬단 말인가. 빤질빤질하게 생긴 사기꾼 놈이 생각나서 치가 떨렸다.

고향의 아래뜸에서 살던 철구의 아들이라고 했다. 참기름을 한 동이나 마신 듯 청산유수로 떠벌리던 놈이었다. 김 노인을 보자마자 돌아간 제 아비가 살아 온 것처럼 가슴이 미어진다고 눈물을 글썽이며 바닥에 엎뎌 넙죽 절을 하던 놈이었다. 김 노인은 그놈을 처음 보던 날, 요즘 같은 세상에도 제대로 배운 젊은이가 있구나 하며 기특하게 생각했었다. 그런데 글쎄, 어쩌자고 아들에게도 내주지 않고 은행에 고이 넣어 두었던 퇴직금을 그놈에게 홀라당 날려 버렸단 말인가. 귀신에 씌지 않고서는 그럴 수가 없었다.

생각할수록 기가 막혔다. 그게 어떤 돈인가. 있는 사람들한테는 기껏 얼마 되지 않는 하찮은 돈일지 모르지만 김 노인에게는 평생의 땀이 배어 있는 소중한 돈이다. 전쟁 통에 고향을 뒤로하고 피란을 나와서 온갖 막일을 하다가 나이 쉰이 넘어서야 겨우 조그만 공장의 경비로 취직할 수 있었다. 월급은 몇 푼 안 되지만 그래도 어엿한 직장이라고 정년

때까지 한눈팔지 않고 근무했더니 고맙게도 퇴직금이라며 쥐여 준 목돈이었다. 살아생전에 통일이 되면 고향으로 가서 잃었던 논밭을 되찾을 것이고, 그러지 못하면 죽을 때나 되어서 아들놈에게 내줄 요량으로 은행에 맡겨둔 목돈이었다. 그런데 그 돈을 처음 보는 날도둑놈한테 다 날리고 화병으로 몸져눕고 만 것이다.

박 영감의 복덕방에서 점심 내기 장기를 두고 있을 때였다. 넥타이를 단정하게 맨 말쑥한 차림의 젊은이가 들어와서 김 노인을 찾았다. 한 번도 본 적이 없는 젊은이였는데 사람을 찾는 말씨가 예의 바르고 점잖았다.

"내가 맞는데, 나는 젊은이를 알지 못하겠구려."

김 노인은 젊은이가 도통 기억에 없었다. 그렇지만 젊은이는 김 노인을 아주 잘 아는 듯 반색을 하며 꾸벅 인사부터 했다.

"아이구, 어르신을 이제야 뵙게 되었습니다."

"글쎄……, 뉘신가?"

"제 선친께서 철자 구자를 쓰셨습니다. 피란 나오기 전 고향에서 같이 사셨다는 어르신 말씀을 생전에 자주 하셨는데, 혹 기억하실런지요?"

"철자 구자라? 아, 그 철구 말인가? 아무렴, 같이 살았지. 우리 동네 아래뜸이었어. 그 아래뜸을 지나야 십자수 개울 깊은 곳으로 낭구를 하러 갈 수 있었지."

김 노인은 철구라는 이름을 듣자마자 십자수 개울가의 샛길을 지나 깊은 계곡을 오르내리며 나뭇짐을 지고 함께 장난질하던 더먹머리가 떠올랐다. 같은 또래 중에서 유달리 덩치가 크고 힘이 좋아서 남보다 곱절이나 더 큰 나뭇짐을 지고도 가파른 산길을 훨훨 날던 친구였다. 부모에 대한 효성이 극진하고 형제간에 우애가 두터워서 동네 어른들로부터 늘상 칭찬을 듣던 그였다. 아주 오래전에 면민회에서 바람 스치듯 훌쩍 만났다 헤어진 이후로 까닭 없이 소식이 끊어졌는데, 철구라는 이름에 귀가 번쩍 뜨이며 착하게 웃기 잘하던 덩치 큰 그 모습이 눈앞에 삼삼했다.

"기억하시는군요."

젊은이는 밝은 웃음을 지으며 아주 좋아했다.

"암, 기억하고말고. 같이 농사도 짓고 땔낭구도 하러 다니고, 아침저녁으로 얼굴 마주 대하던 고향 친구를 내 어찌 잊겠나? 힘이 항우장사였지. 친구들 사이에서는 누구도 씨름을 당할 재간이 없었거든. 그런데 자네가 그 철구의 자제란 말인가?"

"그렇습니다. 진작에 찾아뵀어야 했는데 살기가 워낙 구차하다 보니……, 이제야 어르신 앞에 나타났습니다. 넓으신 맘으로……, 제 심정을 헤아려 주십시오."

젊은이는 어찌할 바를 몰라 쩔쩔대며 말을 더듬었다.

"아니, 무슨 소릴 하시는가? 이리 늙은이를 찾아 주었으니 참으로 반가우이. 꼭 철구 그 친구를 만난 것 같구만."

김 노인은 진심으로 젊은이의 손목을 부여잡았다.

젊은이는,

"그렇게 말씀하시니 더욱 몸 둘 바를 모르겠습니다. 어르신을 뵈니 선친이 살아오신 듯 가슴이 미어집니다."

하고 맨바닥에 엎드리며 넙죽 절을 했다. 김 노인은 그런 젊은이의 태도가 여간 기특하지 않았다. 그런데 처음에는 흘려들었던 선친이라는 말이 귀를 먹먹하게 했다.

"그럼 철구 그 친구가 세상을 떴단 말인가?"

"그렇습니다. 당뇨로 고생하시다가 작년에 그만……."

젊은이는 말끝을 잇지 못했다.

"허 참, 세상 허무하구만."

오래된 일이기는 하지만 면민회에서 보았던 철구의 꼿꼿한 모습이 아련하게 다가왔다. 얼굴에 주름 하나 없이 건강해 보이던 얼굴이었다. 친구마다 돌아가며 술잔을 건네도 마다하지 않고 다 받아 마시던 그였다. 그렇게 건강해 보이던 친구였으므로 소식 없이 지냈던 요 몇 년 사이에 유명을 달리했다는 말이 도무지 믿어지지 않았다. 인생 일장춘몽이라고 말은 하지만, 이렇게 숨을 쉬고 있는 동안이 한순간의 꿈처럼 허무하다고 생각하니 한숨이 절로 나왔다.

그날 젊은이는 생전에 철구 그 친구가 가끔 다니던 냉면집이 있다며 차를 태워 데리고 갔다. 냉면은 맛이 있었다. 면은 쫄깃쫄깃하면서 시원하고 개운한 육수 맛은 일품이었다. 고향에서 밤이 지루하게 긴 겨울철에는 또래끼리 사랑방에 모여 실없는 우스갯소리를 해 가며 새끼를 꼬았다. 그러다가 한밤중이 되고 시장기가 돌면 냉면을 끓여 달라고 해서 동치미 국물에 말아 먹었는데, 그때 먹던 맛과 조금도 다르지 않았다.

얼음이 동동 떠서 뱃속이 얼 것처럼 찬 냉면 육수를 대접째 마시면서 김 노인은 젊은이를 기특하게 생각했다. 그래서 자기 아버지와 면식이 있는 다른 사람들에게도 인사를 드리고 싶다기에 김 노인은 알고 있는 친구들의 전화번호를 아는 대로 일러 주었다.

며칠 있다가 그가 또 찾아와서 김 노인을 먼젓번 그 냉면집으로 데려갔다.

식사가 거의 끝나갈 즈음에,

"저 어르신……."

하고 젊은이가 머뭇거리며 눈치를 살폈다. 무슨 용건이 있는데 말을 꺼내지 못하고 있는 것 같았다.

"왜, 무슨 할 말이라도 있으신 겐가?"

김 노인이 입술을 닦으며 젊은이를 넌지시 바라보았다.

"사실 오늘은 어르신께 긴하게 드릴 말씀이 있어서 왔습니다."

말씨가 은근했다.

"무슨 말을……?"

"사실은 제가 조그만 사업을 하고 있습지요. 그러면서 별도로 부동산에 조금 손을 대고 있습니다. 주로 시골에서 내놓는 농지나 임야를 취급하고 있는데, 물론 그리 큰 덩어리를 만지는 건 아니지만, 그래도 웬만한 시골은 고루 다녀 봤습니다."

"허, 생각대로 큰일을 하고 있구먼."

김 노인은, 역시 큰일을 하는 젊은이여서 뭔가가 달라 보였구나, 하고 생각했다.

젊은이가 코를 큼큼거리며 잠시 뜸을 들이다가,

"그런데 몇 달 전에 좋은 산이 하나 나왔습지요."

하고 운을 떼더니 조심스럽게 말을 이어 갔다.

"멀리 임진강이 바라보이는 야산인데, 조금만 더 올라가서 바라보면 북한 땅이 잡힐 듯 가까이 다가옵니다. 왜 이렇게 좋은 명당이 아직 눈에 띄지 않고 있었는지 그 이유는 알 수 없습니다만, 북쪽에 고향을 두고 온 사람들이라면 누구라도 탐낼 만한 좋은 곳입니다."

"그렇겠구먼. 여우도 죽을 때면 머리를 고향으로 향한다고 하던데, 정든 옥토 버리고 기약 없이 피란을 나온 사람들 마음이야 오죽하겠나. 나부텀두 죽으면 고향 가까운 데로 가서 묻히고 싶다는 마음이 드는데."

김 노인이 고개를 끄덕이며 맞장구를 쳤다.

"옳으신 말씀입니다. 사실 저도 그 땅을 보자마자, 선친이 멀리나마 고향을 바라보실 수 있는 이런 곳에 계시면 오죽 좋겠나 하는 생각을 했습지요."

"허허, 그거 장한 생각을 했구먼. 요즘 세상에 자네 같은 효자는 다시 없을 걸세."

김 노인이 고개를 끄덕끄덕하며 칭찬의 말을 했다. 그러자 젊은이는,

"아이구, 아닙니다. 자식 된 도리로 당연한 생각 아니겠습니까?"

하고 쑥스러운 듯 머리를 긁적이며 얼굴을 붉혔다.

"아닐세, 내 헛말이 아니라 진정 기특해서 하는 말이야."

"그래서 말입니다……."

잠시 머뭇거리던 젊은이의 말이 계속되었다.

"그러한 제 개인적인 사정도 있고 해서 지난번에 명예 면장님을 찾아뵈었고, 이번 면민회에 가서는 몇몇 어른들을 뵙고 직접 제 의견을 말씀드렸습지요."

"무슨……?"

"안타깝게도 우리 면민회가 공동명의로 마련한 묘지 터가 없습지요. 그래서 어르신들이 세상을 뜨시면 각자 알아서 모셔야만 합니다. 아마 이북에서 나온 피란민들 가운데 공동명의로 된 공원묘지를 갖고 있지 않는 데는 우리 면민회밖에 없을 겁니다."

"그렇긴 하지."

"그래서 이번 기회에 제가 본 그 땅을 면민회 공동명의로 사자는 제의를 했습니다. 조건이 좀 좋아야지요. 놓치기는 아까운 기횝니다. 그 야산을 사서 아담한 공원묘지를 조성하면 세상을 뜨신 어른들의 혼백이나마 한곳에서 오순도순 옛정을 나누기 좋으실 거고, 후손들도 조상의 고향이 조금이라도 가까운 곳에 가서 그 은덕을 기리는 예를 표하기 좋으니

일석이조가 될 것이 틀림없습지요."

"거 좋은 생각이네. 아무렴, 참으로 좋은 생각이지."

"그때 면민회에 참석하신 어른들도 이구동성으로 좋다고 찬성하시는 바람에, 공원묘지를 조성하는 데에 미력한 힘이나마 제가 앞장서서 일하기로 하고 즉석에서 위원회를 구성했습니다."

그러면서 젊은이가 음식 그릇들을 한쪽에 치우더니 서류가방에서 두툼한 종이 뭉치를 꺼내 늘어놓았다. 지도를 복사한 것도 있고, 여러 가지 신문 기사와 광고를 복사한 것도 있었다. 또 다른 빳빳한 종이를 펼쳐 보이는데 공원묘지 조감도라는 표제가 붙은 천연색 풍경화였다. 싱그러운 연둣빛 잔디 위에 봉분이 열을 지어 들어서 있고, 그 봉분 앞으로 가족들이 죽 둘러앉자 있는 모습이 평화롭게 보이는 그림이었다. 김 노인은 그 평화로운 언덕에 누워서 멀리 고향을 바라보며 잠들어 있을 자신의 모습을 떠올리자니 시나브로 흐뭇한 기분에 빠져들었다.

"명예 면장님께서 위원장이 되시고 제가 총무간사가 되어 일을 추진하기로 결정이 됐습죠. 그날 면민회에 참석하지 못하셨던 어른들 몇 분을 찾아뵙고 그 취지를 말씀드렸는데 모두 좋아하시며 호응을 해 주셨습니다."

이번에는 젊은이가 서류 가방에서 수첩을 하나 꺼내 보여 주었다. 일종의 치부책이었다. 치부책에는 이름과 주소와 금액에 이르기까지 조목조목 잘 명시가 되어 있었다. 그 기부자 명단 중에는 고향의 아련한 기억을 떠올리게 하는 낯익은 이름들이 꽤 있었다. 구장네 머슴을 살던 기환이, 남보다 키는 작았지만 무슨 일이든지 악착같이 덤벼들던 재학이, 피란 나올 때 구월산에 들어가 함께 몸을 숨겼던 용구, 강제로 인민군에 끌려가서 죽을 고비를 넘기다가 반공포로로 석방된 재호, 이런 친숙한 이름들 위로 잔잔하게 웃는 친구들의 얼굴이 겹치며 떠올랐다.

착하기만 한 친구들이었다. 피란을 나온 이후로 먹고살기가 서로 고달프고 힘들다 보니 뻔질나게 내왕하는 그런 처지들은 아니었지만, 그래도 어찌어찌 한두 해 만에 면민회에서 만나게 되면 옛정을 생각하며 애틋한 심정으로 술잔을 나누는 착하기만 한 친구들이었다. 그들의 이름을 보는 것만으로도 코끝이 시큰해졌다. 혼백이라도 가까이 있다면 그동안 참았던 고향 얘기를 도란도란 나눌 수 있지 않겠는가. 그런데 젊은이가 그런 자리를 만들어 주고자 동분서주하고 있다고 하니 여간 고마운 게 아니었다.

"여기에 함께 참예하려면 어떻게 해야 하는가?"

그렇게 된 것이었다. 김 노인은 친구들과 나란히 묻혀 있는 자신의 모습을 생각하며 덜컥 은행에 꼭꼭 묶어 두었던 퇴직금을 헐기로 작정했다. 통일이 되면 고향으로 가서 잃었던 논밭을 되찾고자 했던 돈이지만 어느 세월에 고향으로 돌아갈지 모르는 마당에 돈은 묶어 두어서 뭐 하랴 싶었다. 고향 땅을 바라보고 묻힐 묘터라도 마련하고 가면 자식 놈 맘고생은 안 시키고 괜찮을 것 같았다.

그런데 그만 사달이 나고 말았다.

어느 날 한밤중에 뜻하지 않게 용구의 전화를 받은 것이다. 영등포에 살고 있는 용구는 피란을 나올 때 구월산에 숨어 들어가 생사의 고비를 함께 넘긴 각별한 친구였다. 그 친구가 재작년 겨울에 풍으로 쓰러진 후로 한쪽 팔과 다리의 사용이 불편해지면서부터 왕래가 줄어들고, 그러다 보니 자연히 전화 연락도 뜸하게 되었다. 김 노인은 친구의 목소리를 듣게 된 것이 우선은 반가우면서도 한편으로는 안부를 먼저 전하지 못하고 차일피일 미루고 있던 자신이 참 미안하게 되었다고 생각하며 전화를 받았다.

"야, 너한테 조, 조, 족제비처럼 생긴 새끼 하, 하나 안 갔었나?"

용구는 대뜸 이렇게 물었다. 풍을 맞은 다음부터 입술이

씰룩거려서 말을 더듬기는 했지만, 그날 그는 웬일인지 격앙된 목소리로 평소보다 더욱 더듬거렸다.

"족제비라니 그게 무슨 말인가?"

영문을 모르는 김 노인은 그렇게 반문할 수밖에 없었다.

"아, 거, 거 말이야, 시, 십자수 아래 살던 그 처, 철구 아들이라고 하는 새끼가 너한테 안 가, 갔었냐구?"

"철구 아들? 그래, 철구 아들이 왔었지. 그 젊은이가 철구를 쏙 빼닮아서 그런지 예의두 바르구 참 똑똑하니 생겼더구만."

"또, 똑똑하게 새, 생겼다구? 야, 그 새끼 순전히 사, 사기꾼이야."

김 노인은 내가 잘못 들은 거겠지 하고 귀를 의심하며,

"사기꾼이라니?"

하고 엉겁결에 소리를 질렀다.

"아이고, 다, 답답해서 미, 미치갔구만. 자네한테 가선 뭐, 뭐라고 하던?"

"고향 사람들이 묻힐 공원묘지를 만든다고 하더구만. 왜, 무슨 일이 있는 거야?"

"그, 그래서 너두 도, 돈을 내줬단 마, 말이가?"

"그랬지. 기부금은 조금밖에 못 내구 계약금 조로 걸었네.

거기 보니 자네 이름도 있더구만."

수화기 저쪽에서 후우우 하는 긴 한숨 소리가 들려왔다. 심상치 않은 한숨 소리였다. 김 노인의 가슴이 덜컥 내려앉았다.

"이거 미, 미치갔구만. 이 다, 답답한 친구야, 어쩌자구 아, 알아보지도 않구 도, 돈을 덜컥 내준단 말이가?"

"자네 도대체 무슨 말을 하고 있나? 더듬지만 말구 좀 차근차근히 말해 보라구."

김 노인은 머리가 어찔어찔해서 도저히 마음을 진정시킬 수가 없었다. 가슴이 울렁거리고 눈앞이 캄캄해졌다. 더 들으나 마나 뻔한 얘기일 것이었다. 용구가 사기꾼이라고 욕을 해대며 말을 더듬고 있는데 무엇을 더 들을 것인가. 그렇지만 김 노인은 행여나 하는 마음으로 다음의 말을 기다렸다.

"그 새끼가 사, 사기를 친 거라구. 면장한테 저, 전화를 걸었드니 모, 모르는 일이라구 하드라. 그래서 며, 명함에 있는 대로 저, 전화도 해 보구 며, 몇 군데 알아봤지만 그, 그 새끼가 간 곳을 아, 알아내지 모, 못하갔어. 우, 우리 말고 자네 웃집에 살든 재, 재학이도 다, 당했다는 거야. 그런 주, 죽일 놈이 있나? 죽은 지 애, 애비를 팔아서 사, 사기를 치다니……."

송수화기를 쥔 김 노인의 손이 후들후들 떨렸다. 점점 더 흥분하고 점점 더 말을 더듬는 친구의 말이 고막을 찢는 아픈 비명으로 들렸다.

전화를 받은 다음 날 아침부터 앞뒤 사정을 알 만한 사람이 없을까 하여 여기저기를 더듬어 다녔다. 면민회 사무실도 찾아가고 몇몇 고향 사람들에게 전화도 해 보았다. 그러나 막막하기만 했다. 누구 하나 그 일의 내막을 속이 시원하게 말해 주는 사람이 없었다. 명예 면장은 가능한 한 여러 경로를 통해 알아본 다음에 연락을 주겠다는 입에 발린 소리를 했고, 김 노인과 똑같이 피해를 본 몇몇 사람들은 오히려 김 노인에게서 무슨 단서라도 찾지 않을까 하여 이것저것 되묻기만 할 뿐이었다.

그렇다고 아들에게 말을 건넬 처지는 전혀 아니었다. 아들이 들으라는 뜻으로, 밑천을 조금만 더 마련해서 목 좋은 데로 가게 자리를 옮기면 좋겠다고 대놓고 궁시렁거릴 때에도 김 노인은 못 들은 척했다. 그러니 사기를 당했다는 얘기를 아들 내외에게 차마 어떻게 털어놓을 것인가. 그저 머리를 싸매고 끙끙대며 앓는 소리만 내고 있을 뿐이었다.

억지로 몸을 일으켜 며느리가 놓고 나간 탕약을 마신 김 노인은 다시 끙 하고 벽을 향해 누웠다. 무슨 면목으로 아들과 며느리를 마주볼 것인가. 어떻게든 말을 하기는 해야 할 텐데 도무지 입을 열 자신이 없다. 한 푼이라도 아끼겠다고 고물 세탁기를 탕탕 두드려 가며 빨래를 하는 며느리에게 어떻게 말문을 열 것이며, 좀 더 목 좋은 가게 자리로 옮겨 보려고 아등바등하며 용을 쓰는 아들에게 무슨 변명을 할 것인가.

생각하면 할수록 기가 막혔다. 평생을 힘들여 모은 그 피 같은 돈을 제 애비 팔아 사기 치는 후레자식에게 고스란히 털렸으니 치가 떨려 도저히 참을 수가 없었다. 그놈을 반드시 잡아서 주리를 틀어야 할 터인데 그 사기꾼의 행방을 알아낼 뾰족한 수가 없으니 미칠 노릇이었다. 아무래도 면민회 사무실에나 다시 다녀와야겠고 마음먹었다. 가능한 한 여러 경로로 알아보고 연락을 주겠다던 면민회에서는 아직도 소식이 감감하기만 하다. 필시 자기들이 당한 일이 아니라고 적극적으로 신경을 쓰지 않는 것이 분명했다.

무릎을 짚고 일어서려는데 갑자기 현기증이 일면서 눈앞이 아뜩해졌다. 급하게 벽에다 등을 기대고 가쁜 숨을 가누었다. 이러다가 명대로 살기는 글렀나 보구먼. 김 노인은 자신의 청승맞은 생각에 깜짝 놀라 고개를 세차게 흔들었다.

정신 차려야지. 아무렴, 범한테 물려 가더라도 정신만 차리면 산다고 했는데 정신을 바짝 차려야지. 김 노인은 자꾸만 불안해지는 마음을 추스르며 어금니를 힘주어 깨물었다.

그때 며느리의 목소리가 들려왔다.

"아버님, 전화 좀 받아 보세요."

김 노인의 눈이 퍼뜩 빛났다. 면민회 사무실에서 온 전화일지도 모른다. 그놈의 거처를 알아냈다는 소식이라면 당장 찾아 나설 요량으로 벽에 걸어 두었던 외출용 잠바를 걸치고 마루로 나갔다.

그러나 기대와 달리 복덕방 박 영감에게서 온 전화였다.

"아, 이놈의 늙은이가 뭐 하느라구 집구석에만 죽치고 있는겨? 낫살이나 먹은 영감탱이가 집구석에 틀어백혀 있으믄 괜히 몸만 축나는 벱이여. 어서 나오라구."

박 영감의 그르렁거리는 가래 끓는 소리에 그만 맥이 풀렸다.

"몸이 좀 안 좋구먼."

김 노인은 억지로 대꾸를 했다.

"거 보라구, 이놈의 늙은이야. 쓸데없이 구들장이나 지고 있으니 그 꼴이지. 냉큼 나와서 장기 한판 두구 나믄 한결 가뿐할 걸세."

"글쎄, 나갈 것 같지 않아서……."

"그렇게 많이 아픈 게야?"

그제야 박 영감이 놀라는 눈치다.

"뭐 그리 걱정할 건 아니구……."

"이런 무심한 친구 같으니라구. 그렇게 안 좋으면 연락이라두 할 거지……. 내가 곧 달려감세."

"아냐, 아냐. 올 것까지는 없네."

"그래두 그게 아니지. 늙은이가 구들장 신세가 되믄 말벗이 그리운 벱이라네."

박 영감은 당장이라도 달려올 기세였다. 김 노인은 정말로 박 영감이 들이닥칠 것만 같아서,

"오지 않아도 된다니까. 내 지금 기운을 차리고 어디 좀 다녀오려던 참이었어. 이따 다녀오다가 들르겠네."

하고 서둘러 전화를 끊었다.

"어디 다녀오시게요?"

며느리가 걱정스러운 얼굴로 물었다.

"방에만 틀어박혀 있었더니 몸이 더 늘어지는구나. 뭣 좀 알아볼 일도 있구……."

"무슨 일인지 아범더러 다녀오라고 하시지요."

김 노인은 걱정 가득한 며느리의 눈빛을 대하자 그만 가

슴이 뜨끔했다. 이렇게 착한 며느리에게 차마 못 할 짓을 저질렀다는 생각에 가슴이 미어지는 듯 아팠다.

바로 그때 왁자지껄 시끄러운 소리가 나더니 대문이 벌컥 열렸다. 고개를 돌리던 김 노인이 그만 깜짝 놀라 주춤했다. 술에 잔뜩 취해 몸을 가누지 못하는 아들이 웬 청년 둘에게 끌리다시피 하며 들어서는 게 아닌가. 아들의 눈은 게슴츠레 풀어져 있었다.

"여기가 이 아저씨 집이 맞긴 맞나요?"

아들의 양쪽 겨드랑이를 나누어 끼고 들어오던 청년 중 하나가 빙글거리며 물었다.

"네, 네, 맞아요. 그런데 이 양반이 대낮부터 무슨 놈의 술을 이렇게 퍼마셨대?"

며느리가 눈을 동그랗게 뜨고 발을 동동 구른다. 축 늘어진 남편과 두 청년을 번갈아 보더니 이번에는 김 노인의 눈치를 살피며 어찌할 바를 몰라 쩔쩔맨다. 김 노인은 그런 며느리가 안쓰러워서 고개를 옆으로 돌렸다.

"그나저나 이 아저씨 고집이 왜 그리 센지 모르겠어요. 무슨 알아듣지도 못할 면민횐가 어딘가엘 데려다 달라고 막무가내로 떼를 쓰는데……."

청년의 말에 김 노인은 가슴이 뜨끔했다.

김 노인은 면민회 사무실을 찾아가겠다던 마음을 바꾸어 다시 방으로 들어가서 벽을 향해 웅크리고 누웠다. 아들이 모든 사실을 알고 있는 것이 명백했다. 그러니까 차마 말은 꺼내지 못하고 혼자서 괴로워하다가 대낮부터 퍼마신 술김에 면민회 사무실을 찾아가 보겠다고 생각했을 것이다. 여태까지 아무에게 입도 벙긋 안 했는데 어떻게 알았을까. 그래, 용구 그 친구가 말해 줘서 알았을 것이다. 이런 한심한 늙은이 같으니라고, 어쩌자고 눈치도 없이 이런 기막힌 일을 아들놈에게 일러바쳤단 말인가. 이제 술에서 깨어나 자초지종을 물어보면 무슨 낯으로 그간의 사정을 얘기할까. 이런저런 생각에 한숨이 절로 나왔다.

한숨 소리에 섞여 슬그머니 방문 열리는 기척이 났다. 그래도 김 노인은 눈을 질끈 감고 돌아보지 않았다.

"아버님."

며느리의 말씨는 조심스럽다.

"아버님, 용서하세요. 제가 주책없이 아범한테 말을 하는 바람에……."

김 노인이 몸을 홱 돌렸다.

"지금 뭐라고 하는 게냐?"

며느리는 고개를 들지 못하고 있다.

"사실은 영등포 할아버지한테서 얘기를 들었어요. 그 일 때문에 아버님이 속상해 하신다는 걸 알고 그만 아범에게 말하고 말았네요."

"그랬구나."

김 노인이 고개를 끄덕였다. 역시 생각했던 대로 용구 그 친구가 말을 해 준 것이었다. 모든 걸 알고 있으면서도 모른 척하고 태연하게 탕약을 지어 온 며느리가 가상해서 눈물이 팽 돌았다.

고개를 돌려 창밖으로 눈길을 돌렸다. 소나기라도 한줄기 쏟아지려는지 하늘은 우중충한 잿빛으로 덮여 있었다.

"아범이 며칠 동안 아버님 모르게 그 사람을 찾으러 다니다가 오늘은 하도 답답해서 술을 마셨답니다."

"니들이 알고 있었다니 입이 열 개라도 할 말이 없구나."

"아녜요, 아버님. 그토록 고향을 그리워하시는 아버님 마음을 저희가 왜 모르겠어요."

"아니다. 늙은 것이 그만 주책을 부려서……."

김 노인의 목소리는 자꾸만 목구멍 안으로 기어들고 있었다.

"그런데 아버님……."

며느리가 말을 잇지 못하고 우물거렸다.

"무슨 말이든 하려무나."

"아범이 말하기를 명예 면장이 그 사람과 짜고 일을 벌였다는 거예요. 그래서 지금 면장도 행방을 알 수 없답니다."

"뭐, 뭐라구?"

김 노인이 벌떡 몸을 일으켰다. 어떻게 된 일인지 여러 경로를 통해 알아보고 연락을 주겠다던 면장이었다. 면민회가 열리는 날이면 인사말을 통해 그리운 고향에 돌아가는 그날까지 온몸을 다 바쳐 면민들을 위해 헌신하겠다고 입에 거품을 물던 면장이었다. 그랬던 면장이 새파랗게 젊은 놈을 내세워 사기를 치다니, 잃어버린 고향을 애타게 그리워하는 삼팔따라지들의 가슴에 대못을 박다니, 도대체 이게 어떻게 된 놈의 세상인가. 아무리 믿을 놈 하나도 없는 세상이라지만 이럴 수는 없는 거 아닌가.

김 노인은 끄응 하는 무서운 신음 소리와 함께 그대로 털썩 주저앉고 말았다. 창밖에서는 잿빛으로 덮였던 하늘이 무너지며 소나기가 쏴아 쏟아지고 있다. 허망하게 무너지는 잿빛 하늘이 주저앉은 김 노인을 사정없이 덮어 누른다.

이별, 그 빈자리

한줄기 바닷바람에 머리카락이 흩날린다. 바다에서 불어오는 바람은 소금기를 잔뜩 머금고 있어서 눅눅하고 끈끈하다. 닻을 내리고 정박해 있는 여객선들 사이로 하얀 등대 하나가 외롭게 떠 있고 그 위로 솜사탕 같은 뭉게구름이 탐스럽게 피어오른다. 부웅 부우웅, 부두 저쪽 끝에서 여객선이 길게 고동을 울리며 떠나가고 있다.

병원 문을 나서며, 그와 헤어져야 한다는 생각을 다시 확인하는 순간 나는 바다를 떠올렸다. 뱃전에 부딪는 잔물결이 일렁이는 바다를 보노라면 손톱에 칠했던 은회색 메니큐어를 아세톤으로 말끔히 닦아내듯 모든 기억을 쉽게 잊을 거라고 믿었다. 그런데 막상 소금기 짙은 끈끈한 바닷바람이 온몸을 훑고 지나가는 부두에서 서성이고 있으려니 마음이 더욱 심란해진다.

뭐가 그리 우스운지 깔깔거리며 지나가는 사람들이 괜히 얄밉다. 이 세상에서 오직 나 혼자만이 방황하는 느낌이다. 마음이 자꾸 흔들린다. 그렇지만 흔들려선 안 된다. 마음을 다부지게 먹어야 한다. 더 이상 그에게 붙잡혀선 안 된다. 그를 잊어야 한다.

여객선 대합실이 있는 건물 옆으로 다방 간판이 붙어 있다. 등대. 다방은 부두에 걸맞은 이름을 달고 있다. 그러나 이층으로 오르는 계단은 등대라는 낭만적인 이름에 어울리지 않게 어둠침침하고 좁다. 퀴퀴하고 비릿한 물비린내가 가득하다.

희미한 알전등 불빛이 오히려 음습하게 느껴지는 계단을 오르는데 불현듯 칸막이로 차단된 병원 침대가 또렷하게 떠오른다. 환하게 불이 켜져 있었지만, 의사에게 아랫도리를 맡기고 있는 동안은 캄캄한 어둠 속이었다. 아니, 차라리 어둠 속이라면 좋겠다고 생각했다. 다시는 헤어날 수 없는 어둠의 늪에서 혼자 누워 있고 싶었다.

축하합니다. 임신이에요. 의사가 콧잔등으로 흘러내린 금테 안경을 손가락으로 밀어 올리며 살짝 웃었다. 빨간색이 유난히 선정적인 얇은 입술을 가진 여자였다. 그래요, 마음껏 축하해 주세요. 고귀한 생명인데 축하를 받으며 세상에 나오는 게 당연하지요. 그런데 지금은 소리 내어 울고 싶을 뿐이랍니다. 나는 선정적인 의사의 입술을 빤히 쳐다보며 목구멍으로 올라오는 말들을 억지로 참았다. 눈물이 뚝뚝 떨어질 것만 같아 고개를 돌렸다.

다방은 지저분하다. 구석 자리에서 머리를 맞댄 사내 둘이 대화에 정신이 팔려있을 뿐 다른 손님은 없다. 나는 창가 자리에 주저앉았다. 닻을 내린 채 정박하고 있는 여러 척의 배 위를 오락가락하는 갈매기 떼가 창문 아래로 보인다. 입도 가리지 않고 기지개를 켜며 하품을 하던 아가씨가 게으른 걸음걸이로 다가와 물잔을 내려놓고 무심하게 바라본다.

"커피."

나는 아가씨의 눈길이 공연히 짜증스러워서 얼른 커피를 주문했다. 낡은 스피커에서는 허스키한 목소리를 가진 여자 가수의 노래가 지글지글 끓는 소리를 내며 흘러나온다. 가지 말아요, 나는 외로운 여자랍니다. 이별이란 말은 하지 말아요, 이별은 슬프답니다. 여자는 노래를 하는 게 아니라 청승맞게 울고 있다.

덥다. 너무 덥다. 등줄기를 타고 땀이 흘러내린다. 벽에 매달린 선풍기가 모가지를 이리 비틀고 저리 비틀며 바람을 쏟아 놓지만, 그 바람은 시원하기는커녕 후텁지근해서 오히려 불쾌하다. 내 몸에 닥지닥지 붙어 있는 모든 안타까움을 훌훌 털어 버리고 어디론가 훌쩍 떠나고 싶다. 아무도 없는 곳에서 혼자 있고 싶다.

창문 너머 멀리 수평선 끝으로 여객선이 가물가물 보인다. 아까 고동을 길게 울리던 그 여객선일 것이다. 저 배를 타고 나가는 사람들은 중에 돌아올 기약 없이 무작정 떠나는 사람은 없을까. 그래, 그런 사람도 있을지 몰라. 지금의 나처럼 혼자 있고 싶어서 아무에게도 말하지 않고 훌쩍 배에 올라탄 사람이 분명히 있을 거야. 배의 고물에 기대고 서서 멀어져가는 육지를 한껏 여유 있게 바라보는 그 어떤 사람을 생각하며 커피를 한 모금 마신다.

커피는 맛이 전혀 느껴지지 않는다. 맹물에 설탕을 조금 넣은 듯 그저 밍밍하기만 하다. 그러면 그렇지. 나는 커피 맛을 탓하지 않았다. 지저분한 분위기에 딱 어울리는 맛이라고 생각했다.

커피는 있지, 특별히 무슨 맛이 있는 게 아니라 누구하고 마시느냐에 따라서 달라지는 거야.

그가 말했었다.

갑자기 무섭게 퍼붓는 비를 피하려고 급하게 골목 입구의 허름한 다방으로 뛰어 들어갔던 날이다. 이렇게 허름한 다방에서 끓이는 커피가 오죽할까 하는 선입견과는 달리 커피는 향이 아주 짙었다.

야, 이 커피 아주 끝내준다.

나는 일부러 호들갑을 떨었는데, 그때 그가 그렇게 말했었다. 누구하고 마시느냐에 따라서 커피 맛이 달라진다고.

그럴 거예요.

나는 그의 말을 긍정하며 고개를 끄덕여 주었다.

밍밍한 커피잔을 멍하니 바라보다가 깜짝 놀라서 어깨를 흠칫했다. 그를 잊기 위해 나온 부둣가에서, 그리고 눅눅하고 끈적거리는 바닷바람을 피해 들어선 다방에서 또다시 그의 생각에 사로잡히다니. 은주야, 넌 참 바보구나. 그냥 잊는 거야. 생각하지 않고 그냥 잊으면 되는 거야. 그의 생각에서 벗어나지 못하는 나 자신이 한심스러워서 한숨이 저절로 나왔다.

카운터 쪽에서 전화벨이 운다. 전화라도 해 줄까. 병원에 다녀왔어요. 임신이래요. 그렇게 말하면 그는 뭐라고 할까. 나는 동전을 찾으려고 가방을 뒤적이다가 전화 걸기를 포기했다. 그를 잊겠다고 하면서 전화를 거는 것이 무슨 의미가 있는가. 슬그머니 자리에서 일어섰다.

오후의 따가운 햇살이 사정없이 내리꽂힌다. 배가 고프다. 시장기가 몰려오자 갑자기 몸이 나른해진다. 금방이라도 무너질 것만 같다. 땅바닥에 그대로 털썩 주저앉고 싶은 심정이다.

그물을 치렁치렁하게 어깨에 둘러멘 사내가 지나치다 말고 고개를 돌려 한쪽 눈을 찡긋 감는다. 어서 갈 길이나 가셔. 나는 고개를 돌렸다. 구레나룻이 멋없이 자란 시커먼 얼굴의 사내는 다시 또 눈을 찡긋하더니 아예 곁으로 다가선다. 미친놈.

"혼자 왔나 보지?"

시큼한 술 냄새가 확 풍겨 왔다. 속이 메스껍고 욕지기가 치받쳐 올라온다. 미친놈.

"어때? 혼자 왔으면 같이 가지 않겠어?"

"점심 살래요?"

어처구니없게, 정말로 어처구니없게도 그 구레나룻 사내의 시커먼 얼굴을 향해 불쑥 내뱉은 말이 이거였다. 점심 살래요. 아, 어쩌면 좋니, 은주야.

"아직 점심 전인가? 가지, 내가 푸짐하게 살 테니까."

사내는 대답을 기다리지도 않고 음식점이 늘어선 곳으로 휘적휘적 걸어가다가 뒤를 돌아보고는, 아직도 정신을 차리지 못하고 멍청하게 서 있는 내게 손짓을 했다. 나는 손가락을 펴서 머리카락을 쓸어올리며 무엇에 홀린 듯 사내를 따라갔다.

음식점으로 들어선 사내는 싱싱한 놈으로 회 하나 뜨고 매운탕도 얼큰하게 끓여 달라는 주문을 하더니 쭈뼛거리고 서 있는 나를 향해,

"여기까지 왔으니 앉으쇼."

하고 퉁명스럽게 말했다. 나는 될 대로 되라는 심정으로 맞은편 자리에 주저앉았다.

가스 불 위에서 부글부글 끓고 있는 매운탕은 배가 고프지 않아도 식욕을 일으킬 만큼 먹음직스럽다. 나는 허겁지겁 밥을 입속에 퍼 넣었다. 허둥대는 내 꼴을 물끄러미 보고 있던 사내가,

"무척 시장했나 보군. 많이 드쇼. 아가씨가 어떻게 생각할지 모르지만 나도 막된놈은 아니니까."

했다. 처음 가졌던 느낌처럼 그렇게 불량스러워 보이지는 않는다. 사내는 물컵에 소주를 콸콸 소리가 나게 부어서 단숨에 쭉 들이켰다.

"어머, 무슨 술을 그렇게 마셔요?"

내가 깜짝 놀라 소리를 질렀다.

사내는,

"걱정 마쇼. 술만은 자신 있는 뱃놈이니까."

하면서 씩 웃더니 한 잔을 더 따라서 마신다.

나는 픽 웃었다. 그에게서 듣던 말을 사내가 하고 있었다.

걱정하지 마, 아직은 건강한 몸이니까.

내가 술에 취한 그를 걱정하면 그는 늘 그렇게 말했다.

피이, 내가 뭐 건강을 걱정하는 줄 알아요? 그렇게 취하면 사모님한테 혼날까 봐 그러지.

나는 가시 돋친 말을 했다.

은주야, 너는 걱정하지 마. 건강도 걱정하지 말고 마누라도 걱정하지 마. 지금은 은주 너랑 있으니까 니 생각만 하면 그만이야.

그렇게 말하면서 그는 급하게 술잔을 비우곤 했다. 그 모습이 무척 허전해 보였다. 회사에서의 깐깐한 모습은 온데간데없고 어딘가 한구석이 무너져 내린 듯 공허한 모습이었다. 그럴 때마다 나는 그의 가슴에 기대고 싶은 충동에 사로잡혔다. 그의 가슴에 기대어 그의 허전함을 위로해 주고 싶었다. 아니, 나의 안타까움을 위로받고 싶었다. 그래서 그만 마시고 일어나자는 말을 하지 못하고 술병이 바닥날 때까지 그의 눈을 마주보며 앉아 있었다.

그를 만나고 그를 사랑하게 된 것이 사람들이 흔하게 말하는 운명이라는 걸까. 아무도 거역하지 못하고 비켜설 수도 없는 운명, 그런 것이 과연 있어서 그와 나를 얽매고 있었던 것일까. 아버지의 갑작스러운 죽음과 동생 영민이의 가출, 그 충격으로 인한 엄마의 신경쇠약과 음주벽, 학업을 중도에 포기하고 가정을 꾸려나가야 하는 피곤하게 지친 나, 이런 것들이 이미 정해진 운명이란 말인가. 어렵게 취직을 한 회사에서 그를 만나고, 그를 사랑하고, 이제는 이룰 수 없는 사랑이기에 뭐 어쩌고저쩌고하는 싸구려 국산 영화의 주인공이 되는 게 나에게 주어진 운명이란 말인가. 그러면 다음 이야기는 어떻게 진행되어 나갈 것인가.

우리 집안이 쓰러진 것은 참으로 갑작스럽게 닥친 일이었다. 아버지와 엄마, 동생 영민이와 나, 이렇게 네 식구는 특별나게 부유하지는 않았지만 평온하고 화목한 가정을 이루고 살았다. 그런데 시장에서 건어물 도매상을 하며 건실한 사람이라고 평을 듣던 아버지가 뜻하지 않게 고속도로에서 교통사고를 당하여 돌아가신 게 가정이 뒤틀어진 시초였다.

식구들의 기둥이었던 아버지의 죽음으로 집안은 음울한 분위기에서 헤어나지를 못했다. 그 음울한 분위기의 고통을 가장 괴로워한 것은 대학 입시를 위해 밤을 꼬박 새우며 착실하게 공부했던 동생 영민이었다. 가뜩이나 내성적인 성격이어서 평소에도 말수가 적던 영민이는 아버지의 죽음을 저 혼자 맞은 것처럼 입을 꾹 다물고 식구들과 벽을 쌓고 지내기 시작했는데, 그러던 어느 날 옷가지 몇 개만 간단히 챙겨서 집을 뛰쳐나가고 말았다.

영민이의 가출은 남편의 죽음으로 시름시름 앓고 있던 엄마를 절망의 구렁텅이로 밀어 넣었다. 넋이 나간 모습으로 아들을 찾아 헤매던 엄마는 그 절망을 벗어나는 수단으로 술을 택했다. 하루 온종일 길거리를 헤매다가 어깨를 축 늘어뜨리고 돌아오는 엄마의 손에는 여지없이 소주병이 들려 있었고, 방에 들어서자마자 부르튼 발바닥을 원망하며 병나발을 불었다. 그러나 엄마의 술은 절망을 극복하는 약이 아니라 오히려 점점 더 고통의 수렁으로 빠져들게 하는 독이었다. 엄마는 기어이 영민이를 찾아 나설 기운마저 남아 있지 않아 방구석에만 틀어박혀 있게 되었다. 설상가상으로 아버지와 친형제처럼 지내던 사람의 농간에 넘어가 가게와 집을 한꺼번에 뺏기고 길바닥에 나앉으면서부터 엄마는 폐인이 되다시피 했다.

완전히 뒤집어진 집안을 위해 내가 살림을 맡아야만 했다. 나는 공부를 집어치우고 취직을 택하는 수밖에 도리가 없었다. 대학을 중도에 포기한 나로서는 그럴듯한 회사에 이력서조차 내밀 처지가 못 되었지만, 평소에 나를 아껴주던 교수의 도움으로 그나마 직원들에 대한 대우가 좋다고 평을 듣는 지금의 회사에 취직하게 되었다. 대학을 중도에서 그만두었다는 콤플렉스로 다른 직원들과 별로 가깝게 지내지 못하고 겉돌기만 하는 회사 생활이었다. 어쩌지 못하고 참석하는 회식 자리에서도 마찬가지였다. 유쾌하게 술을 마시며 웃고 떠드는 직원들의 대화에 끼지 못했다. 자리에 없는 직원의 험담을 안주 삼아 술잔을 기울이는 그들의 대화를 듣지 않으려고 일부러 딴생각에 잠기곤 했다.

어느 회식에서 그가 나에게 술잔을 불쑥 내밀었다.

한 잔 받어.

딱딱하고 거친 목소리였다. 나를 마주보는 눈은 게슴츠레 풀어져 있었다. 사무실에서 보는 단정하고 깐깐한 모습과는 너무 딴판이었다.

마실 줄 몰라요.

그의 무례한 행동에 당황해서 나는 팔을 내저으며 단호하게 거절했다. 아무리 자유로운 회식 자리라고는 하지만 그렇게 무례하게 말할 수는 없는 노릇이었다. 화가 치밀어 올랐지만 그것을 드러내지 않으려고 애를 썼다. 그런데도 그는 팔을 뻗으며 거푸 술잔을 권했다.

그러지 말고 한 잔만 받어.

직원들의 시선이 일제히 내게 쏠렸다.

정말이에요. 마실 줄 몰라요.

나는 얼굴을 붉혔다. 어색함 때문이었는지, 아니면 화를 견디지 못해서였는지, 아무튼 나는 빨갛게 달아오른 얼굴로 어쩔 줄 모르고 허둥댔다.

이런 제기랄, 너무 비싸게 노네.

그가 술잔을 던지다시피 하고 벌떡 일어났다. 나는 당황해서 어찌할 바를 모르고 쩔쩔매기만 했는데, 다른 직원들은 나를 흘끔흘끔 쳐다보더니 입술을 삐죽거리며 그의 뒤를 따랐다. 그날의 회식은 그렇게 판이 깨졌다.

그런데 다음 날 출근을 했을 때 그는 무슨 일이 있었냐는 듯 아주 태연했다. 내가 들어서는 것을 힐끗 보고도 전날의 무례함에 대해서는 일언반구 없이 책상에 고개를 파묻고 일에 열중하고 있었다. 점심때가 되어 사무실 직원들이 술렁거리며 밖으로 나갈 때에야 비로소 그가 고개를 들었다. 그는 나를 향해 빙긋 웃더니 내 책상으로 다가왔다.

어젠 내가 실수를 했지?

목소리가 차분했다.

아녜요.

나는 지난밤 딱딱하고 거칠었던 그의 목소리를 생각하며 칠면조처럼 변하는 그를 경멸했다.

사과하는 의미로 오늘 저녁은 내가 사지.

그는 일방적으로 메모 쪽지를 책상 위에 던져 놓고 돌아섰다. 대답할 겨를도 없었다. 멍하니 그의 뒷모습만 바라볼 뿐이었다. 마음이 뒤죽박죽이었다. 이마에 열이 오르고 목구멍까지 숨이 차올랐다. 오후 근무를 어떻게 했는지 모를 정도로 몸은 무겁고 머리는 얼떨떨했다.

그런데 그만 퇴근을 한 나의 발길은 그가 일방적으로 정한 그 카페로 향하고 있었다. 나도 모른다. 어쨌든 그 카페에서 우리는 만났고, 그날 이후로 나는 그를 사랑한다고 덤벼들었다. 그것도 모른다. 어째서 그 만남이 사랑이 되고, 어째서 그 사랑이 운명이 되었는지. 그냥 운명이었다.

퇴근을 하면 나는 곧장 그를 만나는 카페로 달려갔다. 소파의 푹신한 쿠션에 피곤한 몸을 파묻고 콧소리 가득한 감미로운 샹송을 듣고 있노라면 그가 만면에 웃음을 가득 담고 나타났다. 시간이 흐르면서 나는 그의 전부를 사랑했고, 그도 나를 끔찍하게 아껴 주었다. 그와 함께 있는 동안은 내 안타까움을 모두 잊었다. 폐인처럼 된 엄마의 술주정도. 행방을 알지 못해 애태우는 영민이의 소식도, 그와 함께 있는 동안만은 모두가 남의 일이었다. 오로지 가슴에는 그만 있었다. 그만이 나의 유일한 세계였고 믿음이었다. 한적한 교외의 오솔길을 거닐면서, 그리고 팬터마임이 공연되는 소극장의 딱딱한 나무의자에 앉아서 그의 손을 꼭 잡고 있으면 행복했다. 그렇게 믿었다. 사랑은 행복이었다. 행복했으므로 그에게 나의 전부를 맡겼다. 하나도 아깝지 않았다. 두렵지 않았다. 정말로 행복하기만 했다.

날이 갈수록 나는 점점 더 행복해졌다. 가정을 가지고 있는 그를 사랑한다고 덤빈 것이 정상적일 수 없고, 언젠가는 헤어져야 할 것이라는 막연한 두려움이 언뜻언뜻 머리를 스쳤지만, 그는 나의 세계였고 믿음이었으므로 그런 생각들이 문제가 되지 않았다. 그러나 그는 나에게 늘 미안해 했다.

은주야, 미안하다. 널 위해서 해 줄 게 하나도 없어.

그에게서 미안하다는 말을 들을 때마다 나는 코끝이 시큰거렸다.

그런 말 하지 마. 난 지금 행복에 들떠 있단 말예요.

나는 그의 넓은 가슴으로 얼굴을 묻으며 안타깝게 대꾸하곤 했다.

그렇지만 그를 사랑하면서부터 가슴속에 몰래 간직했던 행복이 언제까지나 나의 비밀일 수는 없었다. 나의 변화를 눈치챈 엄마가 뒤를 캤고, 그와의 관계를 알고 나서는 정신병자처럼 펄펄 뛰었다. 나는 아무 말도 하지 않았다. 엄마가 그를 욕하며 무슨 일을 낼 것처럼 소리를 질러도 나는 입술을 깨물며 잠자코 있었다.

이 미친것아, 미쳐도 유분수지, 어쩌자고 그렇게 몹쓸 짓을 하고 다녀? 니가 지금 이 에미 억장 무너지는 소리를 듣지 못해서 지랄하고 다니는 게냐? 아, 어떻게 그런 놈을 쫓아다니면서 꼬리를 치고 다닐 수가 있어, 이년아?

엄마는 거품을 물고 마구 욕설을 퍼부었다. 계속되는 술로 인해 이성을 다스리는 힘을 이미 상실한 엄마의 분노는 진정될 기미가 보이지 않았다. 처음에는 그런 엄마의 행동에 대해 미안한 마음이 들었다. 집안이 망가진 충격으로 폐인이 된 엄마에게 또 하나의 충격을 안겨준 내 행동은 변명할 여지가 없는 것이었다. 엄마는 낮에는 한숨만 푹푹 내쉬고 있다가 밤이 되면 어김없이 안주도 없는 강술을 마시며 그를 향해 욕을 퍼부었다.

우선은 니가 미친년이라서 내가 할말은 없지만서두, 그놈의 행동거지를 생각하면 부아가 나서 참지를 못하겠다. 그런 놈은 지가 저지른 죗값을 받게 마련이여. 암, 그런 놈을 하늘이 벌주지 않으면 나라도 가만있지 않을 것이다.

엄마는 그런 놈, 그런 놈을 연방 해대며 그에 대한 욕설을 점점 심하게 했다. 그는 그런 놈이었다. 나를 사랑해서는 안 되는 그런 놈이었다. 그런데도 나는 그런 놈을 사랑했다. 그런 놈이 나의 유일한 세계였고 믿음이었기 때문이다. 마찬가지로 그런 놈을 사랑한 나도 그런 년이었다. 가정을 가진 그런 놈을 사랑해서는 안 되는 그런 년이 되었다. 그런데 그런 년은 행복했다.

엄마의 욕설이 심해지면서 나도 모르게 반발하는 마음이 일어났다. 이미 나를 잊을 정도로 마음이 온통 그에게 쏠려 있었으므로 그를 향해 온갖 욕설을 퍼붓는 엄마가 싫어졌다. 나는 말대꾸를 하고 말았다.

그 사람을 욕하지 마. 욕먹을 만큼 나쁜 사람 아냐.

엄마는 생각지도 못했던 나의 말대꾸에 기겁을 했다.

뭐라고? 찢어진 입이라고 아무 말이나 막 하는 거냐? 오라, 내 어떻게 생긴 놈인지 직접 만나서 따져 봐야겠다.

헝클어진 머리카락과 충혈된 눈, 허연 거품이 말라붙은 지저분한 입술, 악을 쓰며 욕설을 퍼붓는 엄마는 어린 시절 머리맡에서 자장가를 불러 주던 그런 엄마가 아니었다. 항상 인자하게 웃으며 자식들의 앞날을 걱정하던 엄마였는데, 불시에 남편과 아들로부터 받은 충격 때문에 삶의 의미를 잃었고, 거기에다 의지가 되어 주기를 간절히 바랐던 딸마저 기대를 저버리고 있으니 그 쓰라린 가슴이야 오죽하겠는가. 그런 생각은 했지만 나는 악을 쓰는 엄마의 낯선 모습이 싫었고, 더구나 나의 세계이며 믿음인 그를 일언지하에 그런 놈이라고 몰아붙이는 꾀죄죄한 얼굴이 보기 싫었다.

너무 그러지 마, 엄마. 나도 남들처럼 그럴듯하게 살고 싶지만, 지금은 그 사람이 너무 간절해.

그러니까 미친년이라는 거야, 이것아.

미친년이라도 좋고 그런 년이라도 좋아. 제발 간섭 좀 하지 마.

뭐라고, 간섭?

엄마는 기가 막힌 모양이었다. 멍한 눈으로 한숨만 내쉴 뿐이었다. 나는 그런 엄마의 모습이 안쓰럽다기보다 청승맞게 느껴졌다.

엄마는 결국 그를 만났다. 그 사실을 알게 된 나는 몇 날 며칠을 울고 또 울었다. 엄마도 몇 날 며칠을 방구석에서 쭈

그리고 강술을 벌컥벌컥 들이켰다. 그런 엄마를 부둥켜안고 또 엉엉 소리 내어 울었다. 자꾸만 슬퍼져서 눈물이 나왔다. 나만 믿고 살아야 하는 엄마가 불쌍해서 울었고, 그렇게 불쌍한 엄마에게 대드는 내가 미워서 울었고, 사랑하는 그에게 무거운 짐이 된 내가 싫어서 울었고, 한창 발랄하게 살아가는 친구들에 비해 빨리 늙어 버린 내가 한심해서 울었다. 눈물은 멈출 줄 모르고 펑펑 쏟아졌다. 그리고 펑펑 쏟아지던 눈물이 말라 버린 어느 날, 나는 그와 헤어져야겠다는 마음을 먹었다. 흔들리지 않는 태연한 이별을 생각했다. 그런 놈과의 이별을.

그렇게 마음을 정하고 나서부터 그를 멀리하기 위해 노력했다. 안타까운 마음을 달래며 그의 눈길을 피했다. 부드러운 샹송이 흐르는 그 카페에도 일절 발길을 하지 않았다. 나의 변화에 당황한 그가 안절부절못하고 쩔쩔매는 것을 뻔히 보면서도 모른 체 고개를 돌렸다. 견디기 힘든 노릇이었으나 이를 악물고 버텼다. 그러다가 나는 몸의 이상을 느꼈고, 며칠을 망설이던 끝에 힘들게 찾아간 병원에서는 얇은 입술을 가진 얄미운 여의사가 임신을 축하한다고 했다.

“뭘 그리 골똘히 생각하쇼?”

사내의 퉁명스러운 목소리에 나는 화들짝 놀라 고개를 쳐들었다. 눈길이 마주친 사내가 안주를 우물거리며 씨익 웃는다. 그렇지만 나는 따라서 웃지 않았다.

"나는 말이오……."

사내가 혀로 입술을 쓱 핥으며 무슨 얘기를 꺼내려 했지만, 나는 자리에서 발딱 일어섰다. 그의 얼굴이 자꾸만 어른거려서 견딜 수가 없다. 나 자신에게 이별을 다짐하기 위해서라도 그에게 전화를 걸어 주어야 할 것 같다.

"잘 먹었어요."

"왜, 가려고?"

"네."

시장기를 때운 대가로 조금은 상냥하게 웃어 주어야 한다고 생각하면서도, 생각만큼 쉽게 웃음은 나오지 않는다.

"무서운 생각이 들어서 그러쇼?"

"네."

"허, 솔직해서 좋군. 그렇지만 난 아가씨를 잡아먹으려고 이러는 건 아니니까 오핼랑은 하지 마쇼."

나는 사내의 말에 아무런 대꾸도 하지 않고 음식점을 나왔다. 거리에는 지나는 사람들이 뜸해졌다. 서쪽으로 기울어지기 시작한 햇빛이 바닷물에 반사되어 현란하게 흩어진다.

음식점 맞은편에 공중전화 부스가 서 있다.

뚜루루룩, 수화기를 통해 들리는 신호음을 들으며 괜한 짓을 하고 있다고 후회하는데 그가 전화를 받는다. 여보세요, 하는 그의 목소리를 듣는 순간 코끝이 아렸다. 아, 나는 지금 이 목소리를 잊기 위해 전화를 걸었구나. 이렇게 부드러운 목소리를 가진 사랑하는 사람을 이제는 잊어야 하는구나. 눈물이 핑 돌았다.

"저예요."

나는 입술을 꽉 깨물었다.

"어, 웬일이야? 어디 아픈 거야?"

그가 목소리를 낮춘다.

"아프지 않아요. 오히려 너무 건강해서 탈이에요. 요즘은 아무리 먹고 또 먹어도 자꾸만 배가 고파지는 거 있죠? 이러다가 보기 싫게 뒤룩뒤룩 살만 찌는 게 아닌가 걱정이에요. 지금도 어떤 남자랑 매운탕을 맛있게 먹고 나오는 중이거든요."

나는 금방이라도 눈물이 떨어질 거 같아 일부러 길게 지껄였다.

"무슨 소리야?"

그는 의아한 눈치였지만 목소리는 여전히 낮다.

"회사, 그만두려고요."

"뭐?"

"네, 그만둘 거예요. 나도 이젠 철이 좀 들어야지요."

그가 뭐라고 하기 전에 서둘러 전화를 끊었다. 병원에 다녀왔어요. 임신이래요. 얄밉게 생긴 여자 의사가 임신이라고 그랬어요. 더 이상 전화기를 붙들고 있다가는 억누르고 있던 많은 말들이 나도 모르게 튀어나올 것만 같았다.

진짜 이별이로구나. 지금까지 그의 사랑으로 가득 채워져서 행복하던 가슴이 이제부터는 텅 비는 거로구나. 그 빈자리를 뱃속에서 숨 쉬고 있는 생명에게 맡겨야 하는 거로구나. 내가 결정한 이별임에도 불구하고, 막상 사랑의 흔적조차 없는 텅 빈 가슴을 차지할 뱃속의 생명을 생각하니 끔찍하게 슬퍼진다. 참았던 눈물이 주르륵 흘러내렸다.

음식점 입구에서 두리번거리던 구레나룻의 사내가 그물을 어깨로 추스르며 내게로 건너올 듯 주춤거린다. 미친놈. 사내를 향해 애꿎은 욕을 던졌다. 매운탕 맛나게 잘 먹었수다, 잘 가소. 참담한 기분을 감추려고 그의 말투를 흉내 내며 팔을 치켜들었다. 스르르 미끄러지듯 지나가던 택시가 급하게 멈춘다.

박희선 | 1954년생. 월간『문학공간』(1993년 7월호)에 단편소설 '흔들리는 불빛'이 추천작품으로 게재되면서 소설을 썼고, 단편소설집 『별빛소리』, 장편소설 『혼자 가는 계절』, 『빈 가슴에 바람은 불고』, 『목마른 자를 보라』, 시집 『하루가 가듯 계절이 지나가고』를 출간하였다.